オセアニアの今

伝統文化とグローバル化

山本真鳥 YAMAMOTO Matori

明石書店

いつも支えてくれた
両親、石川義夫・眞留栄と
夫、山本泰に

オセアニアの今——伝統文化とグローバル化

目次

序章　オークランド芸術祭の現代劇

２０１９年３月のオークランドは、ときに寒い日もあるが、残暑を残しつつ晴天の気持ちよい日々が続いた。オークランド芸術祭の出品作のひとつである『クペの英雄航路』（アピラナ・テイラー作）の一人芝居が演じられたのもそんな日の昼間であった。

クペは、マオリの複数の部族に伝わる英雄譚の主人公で、この劇中では、ライアテア島（ソシエテ諸島）にてライバルの首長と争うことになり、クラ・マロティニという名の妻と子どもたちを伴い愛船マタホウルアに乗り、あてもない船旅に向かい、後にニュージーランドを発見したとされる。ライバルの飼っている大ダコの怪物と戦う場面などの挿話があり、新天地を見つけて、クペの子どもたちはそれぞれにマオリの部族の開祖となった。この話には部族によってさまざまなバージョンがあり、ハワイキ[*1]から来たとされる話、別の島から来たとされる話などもあり、またそれぞれの部族の話の間には矛盾もあるということだ。

演じたのはトラ・ニューバリーというおそらくは30代前半の役者で、マオリの血を引くと思われるが、プログラムにはそのような言及は全くなかった。プログラムの中では、紀元１０００年頃の話となっていたが、これはおそらく口頭伝承の系譜から逆算したもので、考古学の成果では、ニュージーランドには紀元１２５０年頃に人が住み始めたとされている。つまり結構新しい話なのだ。ときにマオリ語も交えて行われた劇は、ほぼ現代的な演劇の手法がとられていた。

　ポリネシア人が西欧人と密な交際を始めたのは、キャプテン・クックが踏査探検の旅を行った18世紀後半である。彼らが保持していた航海術は当時でも世界に誇れる技術であった。クペはソシエテ諸島（タヒチ周辺）あたりから、ニュージーランドまで、遥か４０００キロ近くを船でやってきたわけであるが、それに遡る紀元８００年頃には、マルケーサスもしくはソシエテ諸島からハワイ諸島への移住が行われていた。キャプテン・クックが訪れたハワイでは、彼らの源流はオタヘイテ（タヒチ）であるといっていたと記録されている。なお、最初の移住はマルケーサス諸島からのようだが[*2]、タヒチあたりとも往来があったことは考古学的にも証明されている。

　実際に18世紀後半には、ポリネシアでの海洋航海は下火になっていたようであるが、クックの記録でも数百人が乗船可能なダブル・カヌーが存在していたことがわかる。かつての航海術の復元を行った人々によれば、夜の航海での星座の活用（独特の海図が存在した、写真６−３、１０４頁）、海の色、潮の流れ、波、雲の形などを観察することで航海が行われたという。日本ではいまいちの人気だったが、ディズニー映画の『モアナ』では、まさにそのような航海術が披瀝されていた。水平線を見て、あのあたりに島がある、と見極めることができたという。ハワイの先住民運動の中で、ホークーレア号というダブル・カヌーが復元製造され、タヒチまでの先住民航海術による航海が実現したのは、１９７６年のことであった（第6章参照）。釣りに出たポリネシア人が難破して無人島にたどり着いた結果、ポリネシア地域への人々の拡散が達成されたという見解を覆し、積極的に移住を行うことが可能であったことを示したといえる。

ポリネシア人は19世紀には植民地化の対象となることが多く、ほとんどはもといた居住地域にそのまま居住する（ないしはもっと狭められた領域に閉じ込められる）ことを余儀なくされていたが、20世紀も半ばになると、再び積極的な移住が行われるようになってきている。もちろん、貧困・失業などのため余儀なく田舎から都市への移住が行われた側面もある。ニュージーランドでは、第二次世界大戦後に工業化が達成された結果として、非都市部居住のマオリ人が都市に移住して労働者となった。彼らの多くは出身地とつながっているが、都市マオリという新しいカテゴリーの人々の独特な世界が生み出されたともいえる。また、第二次世界大戦後に太平洋諸島に住むポリネシア人たちも、新天地を求めて移住している。

筆者が主に調査研究を行っているサモアは、もともと同じ文化を共有する諸島であった。言語も政治組織も共有していたが、19世紀の帝国主義時代にドイツとアメリカによって東西に分断されて、西サモア（現在はサモア独立国）とアメリカ領サモアに分けられてしまった。西サモア（当時は独領サモア）は、第一次世界大戦を経てニュージーランドの委任統治領となり、１９６２年に太平洋諸島として初めての独立を勝ち取った。が独立前後から、ニュージーランドへの移民が続出しており、現在ニュージーランドは毎年一定数の移民を受け入れている。さらにニュージーランドとオーストラリアの間の行き来も容易であるから、ニュージーランド国籍や永住権を得たサモア人は、容易にオーストラリアに来ることもできる。かくしてオーストラリアにもサモア人コミュニティが存在する。また、東はアメリカ領として現在もとどまっており、こちらはアメリカ国民としてアメリカ本土との間を自由に往来可能である。西サモアとアメリカ領サモアは同じ文化で結ばれており、親族関係も往来もある。アメリカ領サモアの外では、主にハワイやカリフォルニア、アラスカなどに住むし、軍隊に入った人々は世界中の合衆国基地に滞在する。

こうして多くのサモア人が、環太平洋の主に都市地域に住み、現在では、サモア諸島に居住するサモア人人口より、海外に居住するサモア人人口の方が多い。まさにグローバル化している。通婚の結果としてヨーロッパに住む人々もいる。ニュージーランド生まれのサモア系写真家エディス・アミツアナイは、2000年代に世界中に住むサモア人の家族を訪問し、彼らのリビングルームの写真を撮影して回った。老若男女の家族の写真や、学校・スポーツクラブの集合写真をいくつも額に入れて飾り、ところどころにレイをかける。ハイチーフの位を示す赤いパンダナスの実をつなげたレイや造花もある。大きなテレビがあり、ずっしりとしたソファには、トロピカルデザインの布がかけてあったりする。サモア特有の入墨《いれずみ》をした人物も映り込んでいる。何かごちゃごちゃ満載のリビングの姿は、サモア本国でもしばしば目にする光景である。

一方、ニュージーランドでは、2018年のセンサスで、人口の8.1%（およそ38万人）が太平洋諸島出身者ないしはその子孫であり、そのうち半数近くがサモア系である。その他、トンガ、クック諸島、ニウエ、トケラウ――クック、ニウエはニュージーランドの自由連合国であり、トケラウは属領、いずれもニュージーランド・パスポートを支給される。後三者は本国よりニュージーランドに住む人口が数倍になっている。ニュージーランドの太平洋諸島に由来する人々のうち、3分の2はオークランドに居住している。

さて、ニュージーランドの国内人口約470万人の6人に1人はマオリ人であると自認しているということであるが、結構多くのマオリ人が海外にいる。一番多いのはオーストラリアに住む14万人である（2016年）。シドニーには8万人ほど住んでいるとのことで、現在マオリの集会所であるマラエ建設運動が進んでいる。アボリジナルは認めてくれているようであるが、しかし地方議会が許可してくれていないので青写真のまま進まなくなっている。その次がイギリス、3番目がアメリカである。ロンドン郊外のサーレーには、ニュージーランド総督を務めた人が持ち帰ったマオリの家がある。インターネットで見る限り、小ぶりであるがマオリの彫刻が施された立派な建物である。

それほど数は多くないが、日本にもニュージーランド出身者は住んでおり、マオリ・ダンス（ハカ）の同好会があったりする。リコーに所属していたエディー・イオアネというラグビー選手がいて、サモア代表でもあったが、その妻はサンドラ・ウィホンギというブラック・ファーン（ニュージーランド代表女子ラグビーチーム）のメンバーだった人で、その息子、アキラ（日本生まれ）とリーコ（Rieko）はオールブラックスに選出されている。

20世紀後半になって、ポリネシア人の海外移住は実に盛んとなった。クペの子孫たちは新天地への冒険を全く恐れず、どんどん新たな地へと進出を続けている。世界中のポリネシア人人口の総計は決して多くないから、知る人ぞ知るかもしれない。しかし、そのディアスポラぶりはまことに恐れ入るばかりである。

＊　＊　＊

筆者は、人類学者の卵として最初に調査に出かけたのが、西サモアであった。ハワイ州にある東西センターの奨学金を受領して調査に出かけた。当時日本から調査に出るとなると、自費でというのはちょっと無理であったが、さまざまな奨学金を何とか受領して仲間たちは散っていった。長い人類学人生の間に、最初の調査地とは違うところにも研究を広げていく仲間が多い中で、私のように最初が西サモアで、複数の重い論文を書いた後もサモアでの調査を続けているというのは必ずしも多くない。近隣の太平洋諸島での短期調査を行った経験はあるが、いわゆる言葉を覚えて、調査目的以外の知識も集め、長らく深掘りの調査を続けることになったのがサモアだけであるのは珍しいかもしれない。

しかしそれを可能にしてくれたのは、この世界各地に散らばるサモア人の存在であった。東西センターやハワイ大学にいて、ハワイに住むサモア人の調査も行った。カリフォルニア大学バークレー校で2年間の在外研究を行ったときに、サンフランシスコ湾岸のサモア人コミュニティの面々とも親しくなった。LAやシアトル（具体的にはシアトルの南のタコマ市に大きなコミュニティがある）も訪問している。またニュージーランドのサモア人も幾度となく訪ねる機会があった。またさらに、トンガをはじめとする多くの太平洋諸島を訪問した。

このように、オセアニアの島々の人々と続けてきた断続的なおつきあいの中に見えてくる風景を本書では描いてみたい。サモア在住のサモア人たちは、私が調査を始めた1980年前後にはまだ半自給自足の状態であった。学校の授業料、衣類等には現金が必要だったが、食料は自分たちで作っていた。現在でも自分たちの消費する食料は自分たちで生産しているケースは多い。そして大なり小なり慣習に基づく生活を送っている。土着の慣習ではなくても、キリスト教の布教は彼らにおおきな影響を与えたが、一方で彼らなりのキリスト教の取り込み方をした。しかし、サモア人にとって重いのは、儀礼交換の営みである。さまざまな儀礼の度に、伝統的財と現金とが必要となる。その重圧が彼らの海外進出を加速したといってもよいかもしれない。商品経済以前の互酬的環境にとらわれながら、現代的な生活の営みもある。スマホを操り、フェイスブックやインスタで世界各地に散らばった親族と写真のやりとりをする、大変モダンな側面——日本人にとっては想像できないくらいグローバルで前衛的になっている側面——と伝統的モラルにどっぷりつかった側面とが共存している。そんな「伝統文化」とグローバルな世界の交錯する様を描いてみたいと考えた。本書はもともと、弘文堂スクエアで公開した、ウェブマガジン版でひと月1本で公開した記事を元にし、加筆訂正した。カラー写真が使えないのは残念であるが、主要な動画へのリンクは各章末にＱＲコードにして残したので、スマホやタブレットで楽しんでいただきたい。

＊1：プロトポリネシア語で故郷を意味する。ポリネシア人が自分たちの原郷として言及する島。

＊2：ポリネシア人はオーストロネシア語族の一部であり、アジアの東部から航海術を駆使して、既にパプア・メラネシア系の人々が住んでいたメラネシアの島々の間を通過し、無人だったサモア諸島とトンガ諸島に到達したのが３０００年ほど前。その１０００年後にどちらかの諸島からマルケーサス諸島に移住した人々がいて、さらにマルケーサス・ソシエテ諸島あたりから四方八方に拡散した。ニュージーランドには、ソシエテ諸島から再度西に向かう移住が行われた。

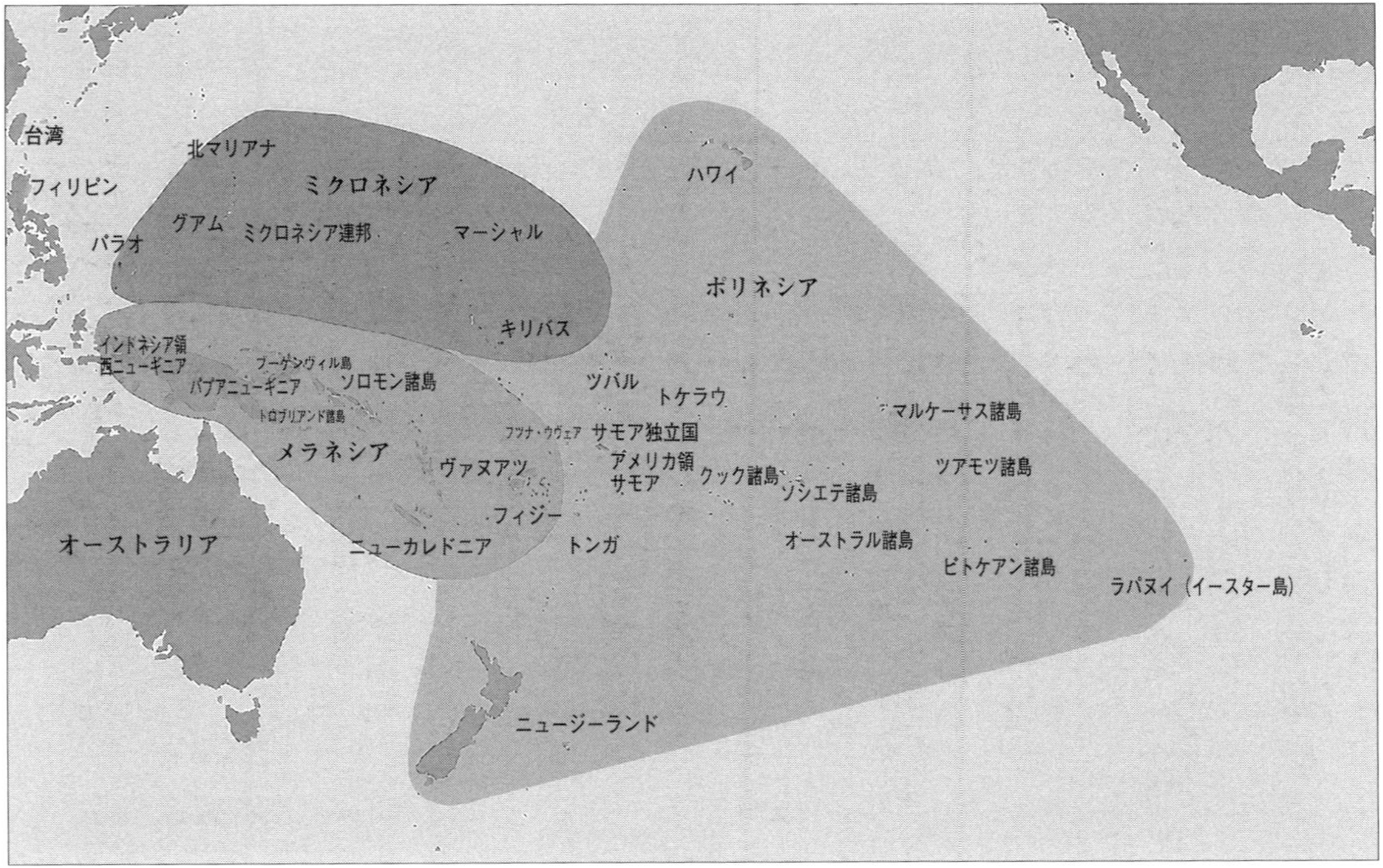

オセアニア地図　Kahurao 作図　PD

第1章　脱植民地化と文化の創造

オセアニアには島嶼部を中心に4年に1度の芸術の祭典がある。この章はこの祭典を中心に語ろう。[*1] 祭典とは太平洋芸術祭[*2]である。前開催は第12回でアガニャ（グアム）、2016年のことであった。その次は2020年6月に、ホノルル（アメリカ合衆国ハワイ州）で第13回の開催が予定されていたが、コロナ禍のために延期となり、さらに4年後の2024年開催となった。私は第7回のアピア（西サモア、1996年）大会を振り出しに、第11回のホニアラ（ソロモン諸島、2012年）大会を除いて、全大会を部分的にではあるが、訪れている。第7回以降は、第8回のヌーメア（ニューカレドニア、2000年）、第9回コロール（パラオ、2004年）、第10回パゴパゴ（アメリカ領サモア、2008年）、第11回ホニアラ（ソロモン諸島）となる。

❖太平洋芸術祭のはじまり

太平洋芸術祭は、南太平洋で西サモアに次いで1970年に独立を達成したフィジーが、1972

年に首都のスヴァに、独立国と独立の途上にあった地域を招いて開催したのが初回である。

当時、太平洋諸島は、西サモア（現サモア独立国）とトンガ王国、フィジーのみが独立していて、その他は植民地や信託統治領であった。これらの島々はアフリカに遅れて1970年代、80年代と脱植民地化の時代を迎える。

第二次世界大戦後、これらの諸島は独立準備に入るのであるが、宗主国（イギリス、オーストラリア、ニュージーランド、オランダ、アメリカ合衆国、フランス）は、この地域の自立、発展を助けるためにSPC（South Pacific Commission、南太平洋評議会）を設置した。その後、オランダが植民地の解消と共に離脱し、またイギリスもその後離脱している。一方、独立した極小島嶼国家がそれぞれにSPCに加盟して、現在26カ所の国と地域[*3]がメンバー国となっている。

合衆国信託統治領（ミクロネシアの多くの国々）が独立すると共に、SPCはSecretary of the Pacific Community（太平洋共同体）とその名称を変えて、略称のSPCはそのままに、太平洋諸島全体をおおう組織となっている。SPCの活動は多岐に渡るが、さまざまな調査や情報交換のみならず、セミナーの開催などと共に、加盟国の結束に向けた事業も行っている。フィジー初開催のこの芸術祭は、SPCの肝いりで、各国の芸術評議会を束ねた組織ができあがり、4年に1度、オリンピックの年に開催されるようになった。SPCは太平洋芸術祭以前に、太平洋競技会を開始しており、これも地域の交流やスポーツの活性化には有意義な大会となっている。ただし残念なことに、私自身はこの競技会に出会うことなく、ご縁のないままとなっている。ちなみに、調査地のサモア独立国は2019年7月後半に主催した。2023年11月にはホニアラ（ソロモン諸島）で開催予定である。

ＳＰＣは芸術祭の催しに、オセアニア諸国の交流ばかりでなく、伝統文化の保護や新たな文化の展開を期待している。

❖太平洋芸術祭の中身

太平洋芸術祭で最も多くの観客を集めるのは、各国の伝統的な歌とダンスである。ポリネシア地域にはもともとメロディーを奏でる楽器は鼻笛[*4]しかないが、ダンスには用いられない。従ってダンスのバックには太鼓（片側に皮を張った太鼓、小さめの割れ目太鼓、ヒョウタンなど）等の打楽器と詠唱だけが用いられていた。しかし、西欧との接触時代に船乗りの持ち込んだギター、ベース、マンドリンなどの弦楽器がたちまち採用され、現在ではほとんどもとからあった楽器のように用いられている。

ポリネシア諸国のダンスは、例えばハワイのポリネシア文化センターなどでも各国のダンスを見せるショーが行われているし、それを小規模にしたワイキキのポリネシアン・ショー、また日本でもスパリゾートハワイアンズなどでも見ることができる。ポリネシア文化センターはもともと、末日聖徒イエス・キリスト教会（モルモン教）の寺院のあるライエ（オアフ島北部）にできたブリガム・ヤング大学ハワイ校に留学してくるポリネシア各地の学生たちが、生活費を稼ぐアルバイトの場として始まった観光施設である。そのためポリネシア各地の学生が踊る本場もののダンスが見られるということが売りものとなっている。それ以外ではダンサーが異なる地域のダンスを習得して、衣装を変えながら見せていることが多い。観光の場でよく演じられるのは、ハワイ、タヒチ、サモア、クック諸島、ニュージーランドなどであるが、太平洋芸術祭では、現地以外では見られないツバルやトケラウ、ニウエ、ワリス・フツナといったところのダンスも演じられる（写真1―1、1―2）。

　しかもさらに、ポリネシアに加えて、メラネシアやミクロネシア各地のダンスもここでは本場ものが演じられる。とりわけメラネシアは国内の文化の多様性が大きいので、国代表のダンス集団であっても国全体を代表するとは限らないが、パプアニューギニアなど衣装や持ち物がとても華麗で、時に儀礼なども見せてくれることがあるので楽しみである。ソロモン諸島から来るのは、長さの異なる竹筒を使ったパンパイプの大小を取りまぜたオーケストラである。それに加えて、独立国ソロモン諸島に含まれているポリネシアン・アウトライヤー[*5]のティコピア島のダンサーが来たこともある。ティコピア島はレイモンド・ファースの社会人類学モノグラフ“We, the Tikopia”（1936）でも有名であり、人類学を志す我々には感慨深いものがある。また、長らく観光開発が進んでいたポリネシアに対して、あまり観光ずれしていないダンスを見せてくれるミクロネシアの若者たちの可憐さも見ものである。

　オーストラリア・アボリジナルの人々も必ず参加する。彼らのダンスは他のどの国や地域の人々のそれとも異なるが、狩猟採集民特有の動物の動きをまねたダンスなどそれなりに個性豊かなダンスとなっている。そして、ディジリドゥ[*6]の音はマイクなしで遠くまで響き渡るのである。

　メンバー国であっても、国の事情などあって必ず参加するとは限らないが、おおよそ20カ国近くが集まってくる。往復の交通費は参加国が出し、食住は開催国が提供する。学校などが宿舎となるので、現地の学校が休みの時期に開催されることが多い。国や地域を代表する人々が、それぞれの国や地域固有のダンスを踊ってくれるのであるから、誠に見事というほかはない。オセアニアのどこの人々も持っているダンスというものを交流のことばとしている太平洋芸術祭は、人々にたちまち受け入れら

写真 1-1　トンガのダンス。トンガの特産品樹皮布をまとう女性ダンサー。2016 年、アガニャにて。

写真 1-2　新しいグアム博物館のオープニングで踊るグアム代表。2016 年、アガニャにて。

れる結果となった。都市部の大会場での開催がメインではあるが、村落部にも会場を作り、そうした土地でも草の根交流が行われる。ダンサーたちは村落部で拍手喝采を浴びるだけでなく、現地の食べ物も食す機会がある。また現地のコミュニティが受け入れの儀礼を催したりする。日頃テレビや映画で欧米の生活を見る機会の多い人々ではあるが、隣人の文化を知るてだては思ったより少ない。

一方で、このような機会を観光に役立てる動きもある。もちろん観客は現地の人々が最大であるが、欧米からの観光客や、我々のような人類学者、芸術学や美学の研究者、オセアニア関係の国際機関を代表する人々、メディア関係者もいる。近年ではテレビ局をもつ国々も多く、開会式など多くのTVカメラは場所取りに忙しい。これらの人々がホテルに滞在するので、経済的なインパクトは国によって違うが、小国にとってはありがたい存在だ。

伝統的な歌とダンスの他にも多くのジャンルの交流があるし、現代のホットな演目もある。ヌーメア（ニューカレドニア）で行われた第8回大会では、主催者が用意したモダンダンスのグループや、神話をバレーで演じる演目などが用意されていた。サモアの代表団の中にはモダンダンスを演じられるグループがあり、回数は少ないが公演を行った。私は見逃してしまったが、サモア移民を中心にしたニュージーランドのマルチエスニック・ダンス集団マウもこのとき来ていたという[*7]。マウは舞踏に近いコンテンポラリーな舞台活動を行っていて、欧米が主な活動の場となっているプロ集団である。詳細は稿を改めるが、ニュージーランドでは移民の文化活動が都市部を中心に目立つようになり、移民もニュージーランドの一部であるという理解で、代表団の中には先住マオリ人以外のオセアニア移民の参加が常にある。第10回大会のパゴパゴ（アメリカ領サモア）には、ニュージーランド生まれで両親

写真 1-3　フィジーのコンテンポラリー・アーティストと共に。2016年、アガニャにて。

がサモア人であるラッパーのキング・カピシが来ていたし、第9回大会のコロール（パラオ）にはフィジーの人気バンド、ブラック・ローズの登場もあった。

また、コンテンポラリーな絵画や彫刻、インスタレーションなどの美術作品の展示（写真1―3）、彫刻などの作家の実演、太平洋ならではの植物を利用したバスケットやマット作りの実演もある。写真展、切手展、過去の文化遺産の展示などもある。作家会議や朗読会も行われるし、書籍の展示会もある。

一般市民や観光客に人気なのは、フェスティバル・ビレッジと呼ばれるお土産屋さんのブースである。各国が用意したさまざまの「特産品」（一部実演販売も含む）がところ狭しと並ぶ。貝殻や椰子殻のアクセサリーや椰子の葉やパンダナスで編んだバッグ、トンガの樹皮布の小物、パプアニューギニアのネッ

写真 1-4　クック諸島のビレッジ展示。2016 年、アガニャにて。

写真 1-5　サモアのファッション・ショー。樹皮布のデザインを流用したプリント柄エレイの作品。2016 年、アガニャにて。

トバック[8]、クック諸島の帽子、南太平洋プリント柄のラプラプ（腰巻き布）やドレス等々（写真1―4）。入墨師のブースが出ることも多い。現地人や観光客がもっぱらの客であるが、ダンサーやアーティストとして来訪している人たちも、これを機会に見て回っている。

第10回大会のパゴパゴで本格的にランウェイが設けられたファッションショーも近年盛り上がりを見せてきた。必ずしもコンセプトが一致しているわけではないが、伝統的な素材を用いつつ華麗なドレスを作り上げる場合もあれば、伝統的衣装をそのままに再現する国もある。異なる場面で年齢や役割に応じて異なる衣装を見せて、固有の文化を解説する場合もある。地元のドレスメーカーが今年の流行はコレだとばかり繰り広げるものもある（写真1―5）。本格的な伝統的歌やダンスの観察を目的としてきている民族学者には人気がないけれども、私のように現在のオセアニアの動向を知りたいという向きにはなかなか興味深いものである。

❖背景としての植民地史

さて、先に簡単に述べたが、太平洋芸術祭の試みは、植民地主義からの脱却ということである。このあたりで、この地域の歴史的概略に立ち入っておこう。

おおざっぱな時代の推移を眺めれば、クック船長の太平洋探検が18世紀末のことである。その後商船、捕鯨船が立ち寄るようになり、急速な文化接触が始まる。しかし、その関係は相互的なものにあらず、19世紀後半には植民地化の時代を迎え、外交をイギリスに預け内政自治を貫いたトンガを除き、すべて植民地化された。そして、1970年代および80年代には雨後の竹の子の如く、小国家が乱立する独立の時代となる。ナウルとツバルがそれぞれ1万人を超すほどの人口、最大のパプアニューギニアは728万人（2011年）、次がフィジーで88万人（2017年）となる。南太平洋で最初に独立を果たしたサモア独立国（旧西サモア）でも20万人足らず（2016年）で、私の住んでいる武蔵野市の人口が14万人強だから、独立国といえども日本なら市くらいの大きさということになる。

そのような弱小国の集まりであるオセアニア地域が存立可能なのは、民族自決を促す20世紀の国際世論形成があるからだろう。国際連合信託統治理事会は、人口規模のちいさな地域も含め、残った非独立地域にさらに独立を促す勧告を行っている。太平洋地域でそのような地域は6カ所、アメリカ領サモア、グアム、フランス領ポリネシア、ニューカレドニア、トケラウ、ピトケアン諸島である。

フランスは国の方針として、独立を快く思っていない。一時ニューカレドニアの独立問題が大きくクローズアップしたが、ヌーメア合意により2回ないし3回の住民投票が行われることになった。現実には3回とも非独立派に軍配が上がっている。それというのも、現在では先住民のカナク人を凌駕する数のフランス人が居住しているからである。フランス領ポリネシアも独立運動はあるが、前途遼遠である。アメリカ合衆国の場合、グアムは戦略的重要性ゆえに簡単に手放さないと思われるが、アメリカ領サモアが独立することに異議はなかろう。単にアメリカ領サモアの住民が、合衆国から離れたくないと考えているだけだ。[*9] トケラウは海進問題を抱える環礁群で、1400人程度の人口（2016年）しかなく、その5倍もの人数がニュージーランドに居住している。ピトケアン諸島は現在人口約50人で、いくらなんでも独立は難しかろう。

独立を促す力学が働く一方で、この地域の経済的自立には困難が伴っている。植民地時代にも宗主国がこの地域から甘い汁を吸ったということは少なかったのではあるまいか。一部、メラネシアの鉱物資源は期待できるかもしれないが、ハワイやニュージーランド、オーストラリアを除いて、ぼろ儲けのできる経済資源は少ない。むしろ、第二次世界大戦前のアメリカ領サモア、戦後のグアム、ハワイ諸島などの戦略的価値、既に停止されているが核爆弾実験場としてのムルロアなどの価値はあろうが、現地の人々のまっとうな経済開発は現代でも課題となっている。経済的自立が難しいが故に、太平洋諸島は一時期 MIRAB 国家と呼ばれたこともある。MI=migration、R=remittances、A=aid programs、B=bureaucracy でもってこの地域が成り立っているというのである。とりわけポリネシアでは第二次世界大戦後に始まる人口移動が著しく、独立国のサモアやトンガですら人口のかなりの部分が環太平洋の先進国に移住し、それらの人々の送金がそれぞれの現地家族を支え、国家収支を潤してきた。そして、先進諸国の援助プログラムは国家運営に織り込み済みなのである。

西洋との接触はオセアニアを大きく変貌させた。植民地化以前には、火器の導入に伴う戦闘、虐殺の激化、疫病の流入、奴隷貿易などによる人口の激減があった。字をもたなかった人々にとって、キリスト教の伝道は社会に大きな変化をもたらした。伝統的な教育の仕組みが全くなかったわけではないが、学校制度や近代化への準備、成文法や警察制度など、すべてが外来のものである。それらを受け入れ、自分たちで政府を動かしていくということは並大抵ではない。多くの国々では独立後もお雇い外国人の力にたよって政府の運営がなされていた。現在ようやく現地人化が整いつつある。

❖伝統文化の受けた打撃と復興

人口が激減したハワイ諸島をとりあげよう。西欧との接触時の人口は30万人と推定されているが、内戦や疫病により、1900年には混血も併せて4万人足らずとなっていた。これほどに人口減少が生じると、社会や文化も破壊されていく。宣教師により、ダンスやタトゥーが禁じられたし、西洋の価値観を度々押し付けられることとなった。押し付けられたという自覚がなくても劣等感に苛まれ、おのずから慣習を捨てて顧みなくなっていた。

70年代の後半から先住民運動が始まる。先住民運動は政治権力を取り戻す戦いでもあったが、誇りを取り戻すための文化復興運動は重要であった。これはニュージーランドのマオリ人でも同じようなプロセスをたどっている。独立を勝ち取った極小島嶼国家の人々にとっても、文化復興は重要な課題であった。ポストコロニアルとは、植民地支配を国家建設によって脱出しても、制度的、経済的、文化的、心理的な被支配からなかなか解放されない状況をさしている。

ホノルルのポリネシアン・ショーでダンサーをしているオーストラル諸島出身の青年が、歴史文書に掲載された全身にタトゥーを施したマルケーサス諸島の戦士の絵を見て感激し、自分も入れたいと思った。ショーを主宰する実業家のタヒチ人男性に相談したが、タヒチではタトゥーが消滅してすでに100年以上が経過していた。ポリネシア中を探し回ったこの実業家はようやくサモアに現在も入墨師が存在することを見出し、青年の夢をかなえてあげた。このできごとは1981年のことであったが、これがきっかけとなり、タヒチではタトゥーがブームとなる。やがてポリネシア各地でタトゥーのリバイバルが生じ、さらに世界的なブームに火がつくこととなった（写真1―6）（第3章参照）。

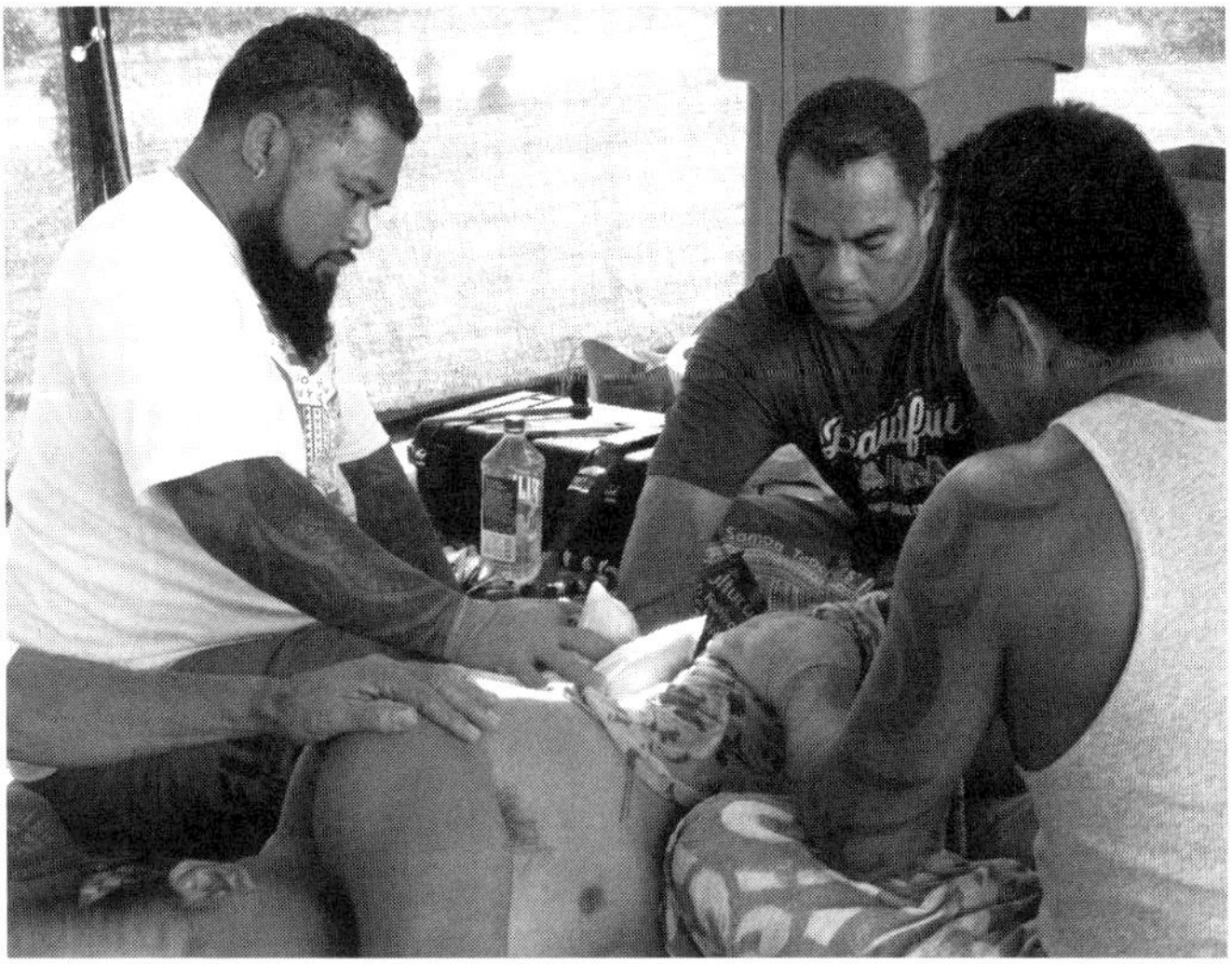

写真 1-6　サモアの入墨師のブース。他国ではマシン彫りがほとんどであるが、伝統的な手法を守っている。2016 年、アガニャにて。

各国のダンスも伝統的ダンス、モダンダンスといった使い分けをしているが、「伝統的」と呼ばれているダンスも多くの変容を受け、全く土着そのもののダンスではない。一旦消滅して再興したものも多い。例えばタヒチでは、第二次世界大戦後に観光開発をするにあたって、すでに失われてしまっていたダンスをなんとか再興することが課題となった。比較的近隣にあるクック諸島のラロトンガ島のダンスが最も近いといわれていたことがあって、ラロトンガの人々にダンスの再興を手伝ってもらった。そのせいか、タヒチのダンスとラロトンガのダンスとは、とても似通っているのである。

ハワイでは、移民が入ってくる中で、新しい楽器や歌い方を取り入れ、フラ（ダンス）がある種の進化をとげた。ウクレレはポルトガル移民の創作であるし、男女が登場して弦楽器に合わせて踊る形式もポルトガルの影響である。女性が長袖にハイカラーで足首の隠れるドレス（ホロク）を着て優雅にゆっくり踊るフラや、そのメロディーを奏でるスティールギターはもっと新しい。観光の場で演じられ、現在世界中で受け入れられているこうしたフラは土着のダンスではない。しかしながら1970年代後半に生じた先住民運動の中で、ヒョウタンの刻むリズムと詠唱で踊る古代のフラ、既になくなっていたフラ・カヒコの再興が行われた。現在太平洋芸術祭の場などで踊るフラは、フラ・カヒコであることがほとんどである。もっとも、できるだけ古いものを再興しようとしても、現代的価値観からかなわない場合もある。女性の胸を覆っているのはキリスト教の影響であるが、それを古代の衣装に戻さないのは、女性の胸を露わにすることが古代と違う意味をもってしまうからだとハワイ人はいう。

❖差異化と新しい文化の創造

サモア人の友人と話したときに、彼女は、太平洋芸術祭開催の結果として各国のダンスが似てきた、という。それはアップテンポのタヒチアン・ダンスに皆引きずられて、テンポが速くなっているということらしい。タヒチのダンスは確かにセクシーで華麗であり、女性のダンスばかりか男性のダンスも動きが激しく美しい。他の国のダンサーたちもそれを見て近づきたいと思う、その気持ちはよくわかる。

しかし一方で、各国が互いに似通った部分を抑え、それぞれの国の特徴がわかるダンスというものを心がけていることもわかる。差異化である。実際にはそれぞれが近隣のダンスを取り入れて踊って

写真 1-7　フィジーのうちわのダンス。2008 年、パゴパゴにて。

きたという歴史がある。サモアの観光の場面でも、女性がうちわをもって踊るダンスがあるが、それはフィジーのダンス（写真1―7）をまねたものであるとサモア人自身がいう。また、船のオールをもって踊るダンス、これもトンガで見たこともある。しかしこうした紛らわしいダンスは、太平洋芸術祭の場ではあまり踊らないようにしているようだ。サモアの場合でいえば、男性のファアタウパチ（スラップ・ダンス）――体のあちこちを叩きながら飛び回るダンスで、勇壮である――や座って踊るサーサーなどは自他ともに認めるサモアのダンスであるから、これらは演目の中に多く取り入れられる。

ファイア・ダンス（QR1―1）というのは、ナイフィ（ナイフ）という先に刃の部分がついた棒の両端に灯油をしみこませた布を巻き付け、火をつけてバトントワリングのように回したり、放り投げて受け取ったりして踊る、アクロバティックなダンスである。これは第二次大戦後にサンフランシスコのバーでダンスを見せていたサモア人男性が考案したものであるとされており、サモア人がさまざまな観光活動において見せてきた。しかし現在では、ワイキキでもトンガでもフィジーでもタヒチでも、ポリネシアの観光の場面で、スペクタキュラーな演目として誰もがやるようになってきた。一方で人々はサモアが「本家」であることを認めているのであろうか、太平洋芸術祭でサモア以外のグループが行うのは見たことがない。

第7回のアピア（サモア）大会では、ワリス・フツナの男性が両腕を振り回して手のひらを叩いたりする動作を見たサモア人が大変気に入った。その1年後にサモアに行ったときには、このダンスをまねたダンスをあちこちで見たが、もちろん芸術祭の場面でこれを踊ったりはしないのである。

オセアニア各地では、伝統文化の保護と同時に、新しい文化の創造も熱心に行われるようになってきた。とりわけオセアニアのフランス文化圏では、文化は絶えず作り替えていくものという意識が強い。またメラネシア地域では、伝統的な神話や伝承のストーリーに乗せた演劇が盛んである。文字の読み書きができない人々の間にも、教育活動の一環として演劇が食い込んでいるという。オセアニア文化の動向を見極めるためにも、太平洋芸術祭をぜひとも追い続けていきたい。

＊1：既に、いくつかの論文を書いているが、1本だけ挙げておこう。山本真鳥（2017）「グアム開催第12回太平洋芸術祭と文化の政治」『経済志林』84巻4号、103～132頁。

＊2：第12回のグアム大会以後、太平洋芸術文化祭と改称しているが、ここでは太平洋芸術祭の呼称で統一する。

＊3：SPC加盟国および地域（非独立国だが自治を行っている）は、アメリカ合衆国、アメリカ領サモア、オーストラリア、北マリアナ、キリバス、グアム、クック諸島、サモア、ソロモン諸島、ツバル、トケラウ、トンガ、ナウル、ニウエ、ニューカレドニア、ニュージーランド、バヌアツ、パラオ、パプアニューギニア、ピトケアン、フィジー、フランス、フランス領

ポリネシア、マーシャル、ミクロネシア連邦、ワリス・フツナである。一方、大平洋芸術文化評議会（芸術祭の開催母体）には、以上の国・地域に加えて、イースター島、ノーフォーク島、ハワイ、その他の地域組織などが加盟している。

＊4：鼻息で音を出す笛、口から出る息は汚れているとされたためという。

＊5：かつて西から東へと移住したポリネシア人が、後に西へと再移住した小島。主にメラネシアに存在。

＊6：オーストラリア・アボリジナルの楽器。シロアリが食って中が空洞になった樹木を使ってつくる笛。息継ぎがなく、息を鼻で吸って口からはくのを同時に行う。

＊7：フランス本土帰りの振付師がヌーメアの街中を歩きまわって不良少年を集め、あっという間にダンスグループが出来上がったという噂話を聞いた。第12回大会のグアムでは、同じニューカレドニアからヒップホップダンスを披露する少年たちのグループがきていた。

＊8：インドネシア・パプア州及び西パプア州（ニューギニア島の西半分）で２０１２年にユネスコの無形文化財として登録されたが、パプアニューギニアでも盛んに作られている。

＊9：第二次大戦後間もなくして、戦略的価値の役割を終えたとして海軍基地は閉鎖されている。とはいえ、近年中国が太平洋地域で勢力を強める戦略に出ているのであるから、アメリカ領サモアも今後、戦略的重要性を帯びてくる可能性はある。

QR1-1
「サモアのファイア・ダンス」、2016年、アガニャにて。
Sixtysixdegrees 提供

第2章　ラグビー！　ラグビー！

この章は日本開催のラグビー・ワールドカップに先駆けて書いたものなので、既にフランス・ワールドカップ間近の現在、多少時宜を得ていないところがあるかもしれないと、若干注など増やした。2019年現在としてお読みいただきたいが、太平洋の極小島嶼国の活躍ぶりは相変わらずで、フランス・ワールドカップでもワクワクさせてくれるはずである。

オリンピック東京大会に先駆けて、本年（2019年）9月20日にラグビー・ワールドカップが日本で開幕する。44日間、世界で予選を戦ってきた選りすぐりの20カ国のチームが日本に集まり、世界一をかけて戦うことになる。世界中の名だたるラガーマンの集まるこの祭典は、日本のラグビーファンには垂涎の的ともいうべき機会だ。長年ワールドカップの低位置に沈んでいた日本代表ブレイブブロッサムズは、2015年のワールドカップで奇跡的に南アフリカに勝ち、着実に力をつけてきている。とりわけ、パシフィック・ネーションズ・カップで格上のフィジーを破り、現在世界ランキング9位となったばかり。日本の入ったプールには、スコットランド（7位）とアイルランド（3位）がいるが、このどちらかを破ると準決勝進出も夢ではない。来月開幕するラグビー・ワールドカップにちなんで、オセアニア系ラグビー選手のトランスナショナリズムについて考えてみたい。

❖ポリネシア人とスポーツ

私がハワイに留学したのは、1978年のことである。アメリカ合衆国連邦政府が東西冷戦時代に設けた東西センターという研究所[*1]であった。州立ハワイ大学マノア校キャンパス内に位置していて、教授クラスの研究者から、大学院生まで、いろいろなレベルの研究者を抱える、当時はなかなかリッチな研究所であった。大学院生は東西センターの奨学金をもらって、ハワイ大学の院生となり、さらに東西センターの研究活動にも参加する。研究員はセンターの奨学金で来ている人も、フルブライトなどの別奨学金の人もあり、研究所に雇用されてきている人もいた。院生たちは、ハレ・マノア(男女混合)、ハレ・クアヒネ(女子のみ)のどちらかの寮に滞在することとなっていた。ハレ・マノアの裏に、現在は大きな木が生えているが、当時は何もなく、そこにバレーボールのネットを張って、4時過ぎると院生や研究員がやってきて(ちなみにハワイの始業は8時で4時はもう終業)、そこで多国籍の研究者・院生たちが汗を流すのである。ハワイだから、ビーサンに短パンで授業・オフィスということも多く、すぐ参加可能だ。

しかし、そこで出会ったポリネシアの国々(アメリカ領サモア、西サモア、トンガ、厳密にはメラネシアだがフィジーなど)出身の院生たちの身体能力は、相当のものだった。オーストラリア、ニュージーランド、アメリカ合衆国の院生たちは、日本人とまあ大差ないくらいスポーツはあれこれできる。対照的なのは、アジアからの学生で、落ちてくるバレーボールを空振りする、というのがずいぶんいて、日本人を除くアジア系がこのバレーボールに参加することはあまりなかった。しかし、ポリネシア系の人々の身体能力たるや、すごい！の一言だった。特に、お相撲さんとまではいわないが、かなり太めのがっちりタイプの男性が、ネット際でたかだかと飛び上がってスパイクを入れるのには心底驚いた。

　そして、スポーツ万能でがっちりタイプの彼らの活躍の主戦場がラグビーである。知らない人は驚くかもしれないが、太平洋の極小島嶼国、フィジー、サモア、トンガはラグビー王国として知られている。フィジーは人口88万人（フィジーは多民族国家であり、フィジー系は57％で、その他はほとんどラグビーをしないので、50万と見積もってよいだろう）、サモアが20万人、トンガが11万人というそれぞれが極小国で、ワールドカップの20カ国に入ることすら、驚異的であるが、いずれもラグビーが盛んである。２０１９年現在、フィジーが世界ランク10位、トンガが15位、サモアが16位なのである。

　それぞれが前植民地時代を通じてイギリスと縁が深く、その経緯で教育を通じてラグビーの導入が早くから行われた。また最高峰のイギリス連邦（コモンウェルス）競技会に打って出るほどではないが、クリケット[*2]も盛んである。

　ラグビーは国代表となるのに国籍条項がない。⑴３年（現在は5年）以上居住している。⑵国籍をもつ。⑶父母、祖父母のいずれかが国籍をもつ、あるいはもっていた。⑴～⑶のいずれかの条件を満たせばよい。ただし一度、特定の国の代表になると、他の国の代表にはなれない[*3]。このルールは、イギリス人が世界中に散らばっていた時代に、それぞれの居住国の代表となれるように制定されたと聞く。グローバル化の現代、名だたる選手を巡って、各国のプロチームの綱引きがあり、国代表の綱引きはそれと別にある。お金が動き、選手の移住がある。

❖日本の外国人ラグビー選手

日本でトンガ系のラグビー選手の調査を行ったニコ・ベスニアによると、トンガ国王ツポウ4世がソロバンをトンガの教育に導入したのだが、それが縁で大東文化大学に2名の交換留学生がやってきたのが1980年のことである。この2名は最初ソロバンを習うはずだったが、やがてラグビー部の活動に熱が入るようになり、卒業後は、三洋電機に就職して職業団のクラブチーム初の外国人選手となった。[*4] その次に来たトンガの留学生2名のおかげで、大東文化大学ラグビー部は当時早慶明に支配されていた大学ラグビーを制することとなった。この2名も職業団チームに入り、うち3名はやがて日本代表の初外国人選手となる。その中でもシナリ・ラトゥ選手は、やがて日本に帰化して、「ラトゥウィリアム志南利」と名乗り、三洋ではコーチを、後に大東文化大学では監督を務めた。

日本で調査中のニコに、大東文化大学ラグビー部関係のトンガ人を中心とした催しがあるので来ないかと誘われたことがある。遅れて到着したとたんにスピーチをと乞われた。突然のご指名とあり、しどろもどろの英語でご挨拶したが、やがて選手たちは日本語で会話しているのに気づき、がっくりした。職業団チームもリタイアしたあと、外国人社員として会社でそのまま働いている人もいて、長い長いスピーチ後の乾杯――乾杯まで飲んでいけないというルールは欧米にもオセアニアにもない――など日本のやり方になじんでいる。ポリネシア系の言語は、a、e、i、o、uの5つの母音と子音（ほとんどは日本語にもある子音）を組み合わせた発音なので、彼らは日本語にはなじみやすく、会話に関してはすぐに話せるようになる。サモアで調査中も、サモア人の自動車整備士でちょっと日本にいた人は、日本語のマニュアルで修理をしていた。カタカナは簡単に読めるといっていた。

他の大学や後に高校もそれに追従することとなり、日本の高校、大学チームに外国人選手（多くがトンガ系）が加わった。

上位にいたいわゆるエリート校は、留学生を呼んでくることに抵抗があるようで、例えば大学ラグビーを支配していたといわれる早慶明、また私の勤務していた法政や関東学院、同志社などは選手を留学生としてリクルートしてきてはいない。留学生を招聘しても必ずうまくいくというわけではないだろうし、いろいろ苦労はあるかもしれない。ただ如実に結果が出ているのは帝京大学で、留学生パワーのおかげとはいい切れないが、ここのところ、関東大学対抗戦でも優勝を飾ることが多いし、全国大会でも優勝することが増えている。東海も帝京ほどではないが、留学生を積極的に受け入れるようになって、関東リーグ戦で優勝するまでに成長している。おなじみの日本代表キャプテンのリーチマイケルは、高校時代に札幌山の手高校に留学し、その後東海大ラグビー部——その間既に日本代表となっている——を経て、東芝ブレイブルーパスに入団している。彼は父がニュージーランド人、母がフィジー人であり、日本で居住しプレイしているので、その3国の代表となる可能性があったが、日本を選択したということだ。その後、日本国籍を取得している。

最近は、フィジー出身の選手も目立ってきた。しかし既にトンガ人選手のネットワークがあるため、日本にいる外国人選手の半分前後はトンガ出身、ないしは、ニュージーランド、オーストラリアに既に親の代から住んでいて、どちらかの国籍をもってやってくるトンガ系選手である。2019年の日本代表のメンバーを見ると、HPに掲載されているのは32名であるが、そのうち外国出身の選手が13名。さらにそのうち6名がトンガ系である。ただし、13名中7名は既に日本国籍を取得している。外国出身だが日本人選手だ。*5

ニュージーランド、オーストラリア育ちの選手たちに比べ、トンガ在住のトンガ人にとって、留学のチャンスは大きなメリットである。そればかりではなく、ごく少額の送金も本国家族にとっては価値ある収入となる。アマナキ・レレイ・マフィが花園大学時代にトンガの親族に送金していたという記事をどこかで読んだが、あり得ることと納得した。

私自身、ハワイで奨学金を受給しながら貧乏学生をしていた40年前、足りない部分は日本で作った貯金を取り崩して使っていたが、同じ額の奨学金をもらっていたインドネシアの友人は毎月100ドル（当時の円価で2万5000円ほど）貯めて送金するといっていた。それで父母弟妹を養っていたらしい。インドネシアで働く代わりに奨学生になり、インドネシアで働いて家族に貢献するのと変わらない、あるいはそれ以上の金銭的貢献をしていたわけである。国境を越えた賃金・物価の差によって、出稼ぎが生じ、送金が行われる。必ずしも送金目的で移住が行われるとは限らないが、故郷の家族の暮らしを考えて、節約送金するのはよくあることだ。

ジェローム・カイノは珍しくもアメリカ国籍を有しているオールブラックスの元選手である。彼は、サモア独立国出身の両親がアメリカ領サモアで働いている間にそこで生まれたのでアメリカ国籍を有するが、その後家族は独立国に戻り、さらにニュージーランドに移民したので、ニュージーランド育ちである。両親が故郷に送金しながらの生活だったため、生活は大変苦しかった。現在でもある程度理解できる範囲で彼自身も故郷には貢献しているという。[*6] カイノ自身は2012年から2年間、トヨタ自動車ヴェルブリッツに在籍していた。また、日本でプレイするフィジー人選手の調査を行った報告でも、故郷からの送金要望にどう応えるかが彼らの大きな悩みであることが記されている。[*7]

そのように、太平洋諸島出身の選手たちは、自分が好きなラグビーをプレイするという以上の意味をもって、ラグビーに取り組んでいるのである。また、彼らにとって大学卒業後に世界的に名の知れた日本の会社チームに入団することもそれなりに価値あることだ。

世界に展開するラグビー・ユニオンは、固くアマチュアリズムを貫いていたが、1995年にプロフェッショナリズムを受け入れることとなった。解禁となる前、日本では大学ラグビーを経て、会社に就職し、会社所属のクラブの選手となる、という路線がしかれていた。解禁後、トップリーグ全体がプロ化しているわけではなく、これまでの路線を辿る社員選手がいる一方で、クラブチームとの契約で在籍するプロ選手が混在している状態であった。この路線改正により、大学を経ての育成ではなく、海外の名だたる選手を高額契約でスカウトしてチームに受け入れることが可能になった。神戸製鋼コベルコ神戸スティーラーズの行ったダン・カーター（元ニュージーランド代表）やアダム・アシュリークーパー（現オーストラリア代表）などの豪華補強はこうして可能だった。外国人選手の多くはプロ契約の選手であり、日本人選手はプロ契約もいるが、チームによっては全員社員となっている場合もある。引退後の仕事が確保されているという意味で、社員選手の制度を好ましく思う選手もいるようだ。2022年にトップリーグをリーグワンとしてプロ化する計画があった。組織編成等の変化はあったが、全体的にプロ化するという方針は見送られ、プロ選手・社員選手の混在は現在も続いている。

日本代表の外国籍選手は、例外なく日本のトップリーグ（リーグワン）の選手となっているが、日本代表となるのに国籍条項はない。日本で3年（現在は5年）以上プレイしていればいいのに、帰化する選手が結構いるのに驚いた。しかしトップリーグのルールというものがある。2019年現在、⑴他国の代表となっている外国籍選手2名、⑵アジア枠選手1名、⑶日本代表、またはその可能性のある外国籍選手3名の計6名が同時出場可能となっているが、それ以上は試合に出られないのである。日本国籍を取得すれば、その枠から外れて規制がなくなる。*8 もちろん、日本が気に入ってずっとここにいる、と決めた人もいるが、出場枠もひとつの理由なのだろう。もうひとつは、ビザの問題があるかもしれない。日本代表として他国に遠征するときに、日本国籍を有していれば手続きも簡単である。

❖オールブラックスのポリネシア系ラグビー選手

確か2000年になった後だったと思うが、サモア国立大学の学長が来日して、日本オセアニア学会の役員と懇談したことがある。そのときちょうど日本ではラグビーの試合をやっていて、前の日に日本代表とサモア代表が戦い、サモア代表が敗れた。学長は観戦していて、「いや昨日は実に残念だった」という話になったのだが、彼はしかし最後に「でもあれはBチームなので、Aチームは勝てると思うよ」といった。彼がそこでAチームと呼んだのは、オールブラックス（ニュージーランド代表）のことだ。確かにサモアに行くと、彼らはサモア代表のマヌサモアをもちろん応援するが、マヌサモアがいなければ、確実にオールブラックスの応援をする。2011年8月にワールドカップ・ニュージーランド大会が開催されたとき、私はちょうどサモアで調査中であったが、開幕戦の対トンガ戦の夜、サモアではどの家でもテレビで中継を見ていて、オールブラックスが得点するたびに、そこら中に歓声や拍手が響き渡っていた。

それもそのはず、オールブラックスには実に多くのサモア系の選手が加わっているのである。2019年8月現在HPに掲載されている約40名の中で、サモア系10名（2名はマオリ系とダブルカウント）、マオリ系6名（2名はサモア系とダブル）、トンガ系7名、フィジー系1名である。[*9] マオリ系は除いても、彼らの多くは、既にニュージーランドに移民していた父母の元に生まれていたり、幼い頃に連れてこられたりしているから多民族社会ニュージーランドの正当なる構成員である。顔写真でもって、由来を探すなど、人種主義的行為であって申し訳ない。

オールブラックスは、試合前に必ずハカという儀礼的ダンスを行うことで有名である。これは先住民マオリの習慣である。南太平洋諸島のチームは、これに準じていずれもwar cryというダンスを行う。ニュージーランドはハカ、フィジーはジンビ、サモアはシヴァ・タウ、トンガはシピ・タウと呼ぶ（QR2―1、QR2―2）。

オールブラックスは2011年のワールドカップ・ニュージーランド大会がピークで優勝した。キャプテンのリチー・マコウは引退するかもしれないと噂され、他にもそろそろと噂の出る選手もいた。しかし、2015年まで黄金期の選手たちがほぼ残っていて、2015年ロンドン大会でもオールブラックスは見事な優勝を飾った。ださすがに、その直後、マコウ、カーター、マア・ノヌーなどが引退し、また日本大会の前に、カイノやチャーリー・ファウムイナーも引退してしまった。新しい選手への切り替え時のオールブラックスがかつての強さを維持できるかどうか、世界中のラグビーファンが見守っている。ただし、万能のソニー・ビル・ウィリアムズ*10はまだ残っているし、バレット3兄弟の活躍も期待できる。*11

さて、ちょっと古い話になるが、*NZ Rugby World*という雑誌の2015年4／5月号には「パシフィックのプライド—走るに優り、持久に優り、プレイに優る」という特集が組まれている。

ここに、ニュージーランドで活躍した過去から現在に至る印象に残る太平洋系選手のリストが掲載されている。(1)ピーター・ファティアロファ（引退後はサモア代表チームの育成に努めた）、彼のみサモア代表で、それ以外はニュージーランド代表である。(2)ブライアン・ウィリアムズ（サモア系）、(3)マイケル・ジョーンズ（サモア系）、(4)フランク・バンス（サモア系、ジョーンズもバンスもニュージーランド代表とサモア代表の両方を務めた）、(5)ジョナ・ロムー（トンガ系）、(6)ミルズ・ムリアイナ（サモア系）、(7)タナ・ウマガ（サモア系、キャプテンを務める）、(8)ジョセヴァタ・ロコゾコ（フィジー系）、(9)ケヴィン・メアラム（サモア系）、(10)ジェローム・カイノ（サモア系）、(11)マア・ノヌー（サモア系）、(12)ソニー・ビル・ウィリアムズ（サモア系）となっている。

❖太平洋系ラグビー選手のトランスナショナリズム

同誌に世界各国のリーグで活躍する太平洋系の選手、並びに各国代表として活躍する選手の統計が報告されている。国外で活躍する太平洋系選手は全部で632名。272名の選手がこれまで国代表を務めている。国代表は本国のフィジー、サモア、トンガがなんといっても多く、それぞれに60〜70名程度いるが、その次に多いのがニュージーランドで、40名を記録している。プロ選手は2つのグループで200名以上となっている。日本では国代表は14名であるが、トップリーグとその下のリーグで76名。多分ここには大学生の選手は入っていない。ヨーロッパでは国代表となる人は少ないが、プロ選手の雇用は大きい。フランスのトップ14とプロ2部で232名、イギリスとアイルランドで78名である。フランス代表チームで目立つのはアフリカ系選手であるが、若干名のポリネシア系がいる。彼らは出身地がニューカレドニア（メラネシアにあるフランス海外領土）とあるが、おそらくウォリス・フツナ（フランスの海外準県で、住民はポリネシア系）からニューカレドニアへの移民とみられる。

このリストの中でアメリカ合衆国は国代表2名となっているだけで、この数値は不備が甚だしい。移民国家のアメリカ合衆国に太平洋系選手が少ないわけがない。15年当時は不明であるが、2019年の合衆国代表について、名前で判断する限り少なくとも12名の太平洋系の選手が在籍している。合衆国代表は、できたてのアメリカのプロリーグのチームに所属している選手が半分くらいであるが、あとはイギリスなど国外のプロチームや、スーパーラグビー加盟のチームに所属している場合もある。アメリカではるかに盛んなのはアメフトであるから、アメフトからの転向組もあり、他にバスケットボールをしていた選手などもいる。ニュージーランド出身、ニュージーランド在住の選手も若干いるが、彼らは多分、サモア系の選手であり、父母もしくは祖父母にアメリカ領サモアの出身者がいることで、アメリカ代表になるという権利を生かしているのであろう。*12

アメリカ代表チームの構成は、このように実に複雑である。また所属チームがアメリカ内に限らないので、おそらく練習などには困難を抱えている。サッカーの日本代表の主力選手がヨーロッパ各国に散らばっているために、練習時間が限られるなどの問題を抱えているといわれるが、アメリカ代表ラグビーチームも同じ問題を抱えている。

フィジー、サモア、トンガの国代表選手は、多くがフランスやイギリス等のプロチームのメンバーとなっており、アマチュアリズムでやっていた頃に比べて生活の不安はなくなったし、稼ぎはもとに比べれば数十倍になったはずだ[*13]が、一緒に練習する時間は限られている。世界ランキングが若干下がってきたのはそういうことも関係しているかもしれない。

❖ラグビー選手のライフサイクル

南半球の強国、ニュージーランド、オーストラリア、南アフリカを中心にスーパーラグビー競技会が存在しているが[*14]、南半球の強国では、もっぱらこれらの身近なプロチームに所属して、国代表とプロ生活とのバランスをとっていることが多い。イギリス、フランスなどのプロチームに移籍すると、大金を手にするが国代表は離れたものと判断される。オールブラックスを引退したカーターやカイノ、ノヌーは一旦フランスのプロチームに移籍した。ニュージーランドでは、小学校でラグビーを始めることが多く、その後強豪中等学校に入って、さらに地域のアマチュアチームで活躍して、その実績の上でスーパーラグビーのチームに入り、やがて国代表として活躍する。しかし適当な時期に引退してイギリス、フランス、（ないしは日本）のプロチームに移籍してたっぷり稼ぎ、その後は後進の育成やNPO活動に打ち込む、というライフサイクルができあがっているように思う。このライフサイクルは特に太平洋系の選手に限られるものではなく、すべての選手に共通しているが、太平洋系の人々やその家族にとって選手生活は、「強く男らしい」というコミュニティの価値観をフルに満足させるだけでなく、巨万の富を稼ぐ一種のシンデレラ・ストーリーとなっているのである。

＊1：現在でも連邦政府の投入する予算は重要であるが、組織としてはＮＰＯ法人化されている。
＊2：第5章でトロブリアンド諸島とサモア独立国のクリケットが、それぞれの文化と融合して行われていることに言及したが、東アジア太平洋クリケット評議会に所属する国もあり、太平洋競技会などの国際試合もある。
＊3：代表で3年プレイしなければ、別の国の代表となることができる、というルール改正が２０２２年にあった。
＊4：Niko Besnier (2012) The athlete's body and the global condition: Tongan rugby players in Japan. *American Ethnologist* 39(3).
＊5：２０２２年９月現在、代表メンバー58名のうち、外国出身選手は20名である（日本国籍４名を含む）。
＊6：*Spasifik*, spring 2015 の記事。
＊7：Dominik Shieder & Geir-Henning Presterudstuen (2014) Sport migration and sociocultural transformation: The case of Fijian Rugby Union players in Japan. *The International Journal of the History of Sport* 31(11).
＊8：リーグワン発足と同時に、外国人選手の規制はさらに緩められている。
＊9：２０２２年９月現在、ＨＰに掲載されている42名のうち、サモア系10名（2名はマオリ系とのダブルカウント）、マオリ系６名（2名はサモア系とのダブル）、トンガ系９名、フィジー系４名である。日本の場合と同様に、中等学校でラグビー留学で来る人もあるらしい。
＊10：重量級ボクサーとしても有名であるし、セブンズ（7人制ラグビー）の選手もこなす万能選手。リオ・オリンピックの初戦（対日本戦）でアキレス腱を負傷し心配されたが、無事復帰。
＊11：ただ残念ながら、２０１９年のワールドカップでは、オールブラックスは準決勝でイングランドに敗れ、優勝は飾れなかった。最近常勝軍団とはいいがたい様子があり、多くのニュージーランド人が危機感を募らせている。一方、日本は２０２２年９月現在10位であるが、一方、サモア11位、フィジー12位、トンガ16位となっている。
＊12：アメリカ代表チームとして２０２２年９月にＨＰに掲載されている29名のうち、名前から10名がサモア系もしくはトンガ系の選手と思われるが、現在では合衆国が出生地であるケースがほとんどとなっている。
＊13：世界的なプロスポーツで選手の給料が高いので有名なのはクリケットである。日本ではなじみが薄いが、野球などよりよっぽど稼ぐらしい。サモアの前首相ツイラエパは国民の関心をこちらに向けようと、一時サモア国内のみで通用するサモア式クリケットを禁止して国際ルールに則った試合のみ行おうとしたが、国内では反発が強くまたサモア式に戻っている。
＊14：チームは度々編成替えがあり、２０２３年現在はニュージーランド5チーム、オーストラリア5チームに加えて、フィジー・ドゥルア（フィジー系選手）、モアナ・パシフィカ（サモア、トンガ、フィジー、マオリ系選手）で対抗試合を行う。

現在はスーパーラグビー・パシフィックの名で呼ばれている。この他にラグビー・チャンピオンシップとして南アフリカ、オーストラリア、ニュージーランド、アルゼンチンの各国代表が競う大会もある。

QR2-1
オールブラックス（ハカ）対フィジー（ジンビ）。
2011 年、カリスブルック競技場にて
All Blacks

QR2-2
サモア（シヴァ・タウ）対トンガ（シピ・タウ）。
Pacific National Cup 2022
Sport 303

第3章　文化としてのタトゥー

前章でラグビー・ワールドカップ（2019年日本開催）の話題を取り上げたが、同年9月15日には、国際ラグビー連盟から日本に結集する選手やラグビーファンに、日本ではタトゥーは覆うなどして、日本人に攻撃的イメージをもたれないよう気をつけるようにとのメッセージが発信されたという記事を見た。タトゥーは日本の文化にも存在するが、日本ではそれがヤクザを連想させ、温泉等ではタトゥーを入れている人が入浴禁止となっている場合もある、と説明されている。ラグビー選手、特にパシフィック系の選手はタトゥーを入れていることが多い。

❖ポリネシアとタトゥー

タトゥーは日本語では入墨《いれずみ》、刺青《いれずみ》、文身《いれずみ》などという語に対応する習慣で、皮膚に傷をつけそこに色素を入れ、文字や絵柄を描くものをいう。人類学一般の定義からは、身体変工と呼ばれる大きなカテゴリーの一部をなすもので、身体変工には他に抜歯、切歯、ピアスや、皮膚に回復後盛り上がる傷跡をつけて文様を描く瘢痕入墨《にゅうぼく》と呼ばれる習慣も含まれている。

身体変工は世界中に存在する習慣である。日本にも古代からタトゥーの習慣が存在していたことは、3世紀の中国の文献『魏志倭人伝』にある「男子皆黥面文身」という一文が根拠とされている。「黥面文身」は顔にタトゥーを入れることであろう。これはペインティングかもしれないともいわれるが、埴輪に描かれている文様やその他の傍証からおそらくタトゥーであったと推測されている。*1 そして、アイヌ民族や沖縄にタトゥーの習慣は近年まで存在していた。

また、ヨーロッパ・アルプスでミイラ化した遺体で発見されたアイスマン（5000年以上前）や、2500年前とされるアルタイ王女の遺体からその痕跡が発見されている。

18世紀後半には、西欧の航海者が多く太平洋探検に乗り出しているが、キャプテン・クックなどがポリネシア各地の習慣としてタトゥーの存在を伝えた。しかしどちらかというと、公的な訪問者であるこれらの指導者よりは、現地を訪れた水夫たちが、ポリネシア各地のタトゥーの習慣に強い関心をもち、夢中になり、自分たちの体にもこれを刻んで持ち帰ったことが大きい。それによって、ポリネシアの習慣タタウ（写真3―1）は一躍有名となり、「タトゥー（tattoo）」という語としてこの習慣の世界的一般名称となった。他にポリネシア語がヨーロッパ語に取り入れられたものとして、「タブー」や「マナ」などがある。

18世紀末からのポリネシアでは西欧人の来島が増えるに従い、その影響を強く受け、火器の流入、内戦の激化、ブラックバーディング（太平洋の奴隷貿易）、*2 疫病やアルコール中毒の蔓延などが生じ、特に東側の諸島では著しい人口減少が生じた。ハワイ諸島では、接触前の人口18世紀後半推定およそ

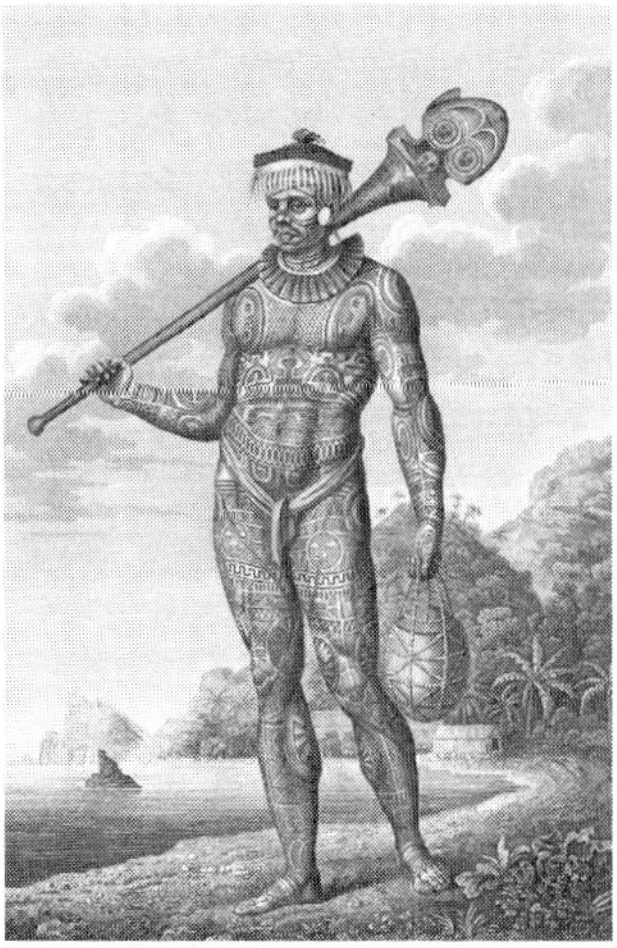

写真 3-1　マルケーサス諸島ヌクヒヴァ島の男性、1814 年出版の von Tilenau の報告書より。PD

30万人に対して、1900年には混血を入れても4万人に満たなかった。マルケーサス諸島では1813年の推定5万人が1926年に2000人、タヒチ島では18世紀後半推定12万人が1930年には9000人となってしまっている。[*3] これらの諸島では、人々が自分たちの文化を維持して生活を営んでいくことすら難しかったが、特に18世紀終盤に始まる宣教師の来島により、タトゥーは禁じられることが多かった。キリスト教では自殺や自傷が戒められているが、タトゥーの習慣は皮膚に傷をつけるので、これに相当するというのが教団の解釈である。

タトゥーの社会的意味づけはさまざまであり、ジェンダー、身分、所属などを示す指標でもあったし、これが成人式の一部と関連している場合も多々ある。タトゥーは痛みを我慢しないと入れることができないのであるから、成人の印としてこれを入れる習慣が多いのはうなずける。

タヒチ島はタブーによって上下関係が定められた戒律の厳しい社会であった。最高位首長はあまりに強いマナを集めているため、彼が歩いた地面にそのマナが移る。身分違いの者がそこを歩くことはできない。一般人が通常の生活をするために、王は地面を踏むべきではなく、従者の背に乗って移動が行われることとなっていた。現在伝統文化の祭典となっているヘイヴァ祭では、「最高位首長の結婚式」が演じられるが、「新郎新婦」は従者に肩車されて登場する。タヒチのタトゥー研究で著名となったジェルは、タトゥーはそのような異なるマナを持ち合わせた身体を覆い、マナの差の障壁となる役割を果たしていたという。[*4] そのように社会制度と結びついたタトゥーが禁止されたということは、社会生活そのものの崩壊も意味することになる。首長制度に基づく戒律の厳しいタヒチ社会は、こうしてタトゥーも含めたさまざまな社会慣習を禁止されて骨抜きにされていったということもできる。

❖サモア人とタトゥー

一方、ポリネシアの西方に位置するサモア諸島は、西欧からの影響は同じポリネシアの東部分よりは強くなかったためか、人口減少も東側とは比較にならず、文化破壊も強くはなかった。カヴァ（アヴァ）というポリネシアの伝統飲料は、同名のコショウ科の灌木の根を砕いて水に浸した上澄み液であるが、これを儀礼に用いたり、嗜好品として飲用したりする習慣が各地にあった。ハワイ、タヒチなどをはじめとする多くのポリネシア地域では、宣教師によって厳しく禁止されたが、サモアやトンガでは厳格な禁止はなかった。メラネシアに分類されることの多いフィジーでも同様である。[*5]

むしろ現在のサモア社会で、カヴァの儀礼が行われるときには、牧師もこれに参加して杯を受けることがある。アルコールは全く含まれず、鎮静作用があるから問題ないとの話である。

同様にサモアでは、タトゥーの習慣も教会が厳しく禁止してきてはいないように思われる。一応自傷を戒めるキリスト教の戒律があるので、牧師自身がタトゥーを行うことは慎まれており、また牧師のファミリーでも慎む人が多い。牧師の家系の人でタトゥーを入れている人は少数派かもしれない。また、一般人でも「ちょっと、あれはね……」という人もいる。しかし、私が調査を始めた40年以上前にも、タトゥーを入れた人は結構いたし、社会の中にごく普通に存在していた。

　サモアのタトゥーは現地ではタタウと呼ばれている。[*6] 男性のはペア、女性のはマルという。ペアはウェストの上10㎝くらいから下、膝の上まで、陰部も含めて施される（写真3―2）。現在のサモア人男性はラヴァラヴァという布を腰巻のように着ているので、上半身裸となったときにウェストの上の部分、また動くと膝上の部分がちらりと見える程度であるが、そのチラリズムが何ともいえない。

　サモアの伝承によれば、タエマーとティラファイガーという女性の結合双生児がツツイラ島（現在のアメリカ領サモア）を出発してフィジーに泳いでいき、タタウの道具と戦争（戦闘技術か）を手に入れて帰還した。サヴァイイ島（サモア独立国の西側の島）のファレアルポ（西端）に到着し、タタウをサモアに伝えたとされる。[*7] タタウの道具は、骨をぎざぎざにかたどった切っ先を、ベッコウで補強し、細い棒に直角に結びつけたものであり、この先にヤシ殻から作った墨の液をつけ、とんとんとたたいて皮膚に色を入れていく。墨は黒いが皮膚に入ると若干青みがかった黒になる。さて、フィジーではタタウは女性のするものであり、男性はしない。しかし双子は、フィジーで習った歌を「男でなく女にタタウを」と歌いながら帰ってきたのに、

写真3-2　ペア、サモア人男性の伝統的タトゥー、2008年、CloudSerfer 撮影。CC BY 3.0

ファレアルポに着く直前にうっかり途中で逆に歌い、その結果「女でなく男にタタウ」になってしまった。また男女差の理由は、女は子を産むときに痛い思いをし、男はタタウを入れるときに痛い思いをする、とも説明する。2人は身体を分離し、タエマーはタタウを伝え、ティラファイガーは戦いの女神ナファヌアになった。

実際に出産で痛い思いをする女性もマルというタトゥーを入れることがあるが、マルは、十文字の文様を腿から膝まで入れるだけなので、男性のペアに比べて痛みは少ないかもしれない。現在のサモアの女性は、ラヴァラヴァを長めにまとうので、マルはそのままでは全く見えない。時々ダンスをするときにラヴァラヴァをまくって見せることがある。通常では見せびらかしたりしないが、やはり自慢なので、ダンスのときには見せている。

ペアはすべての男性が入れているというわけではない。入れることは義務ではないが、一旦入れ始めた男性が痛いあまりに止めてしまうのは最も恥ずべき行いとされている。儀礼中には上半身裸となるので、それがはっきり見える。また仕上げにへそにも彫るので、それが入っていないと、仕上がっていないということだ。そのような首長を見たことがあるが、私に儀礼の説明をしていた男性は、「あれを見たか？　マタガー(みっともない)だよね」といっていた。多くの場合2名以上が組になって、トゥフガ(親方、タトゥー師)[*8]に依頼してタトゥーが始まる。体表のかなりの部分に入れるので、あまりいっぺんに行うことはできない。時間をかけて少しずつ入れていくことになる。1日彫ったら、夕方海水に入って体を清める。それがビリビリ大変痛いと聞いた。完成に際しては、カヴァ儀礼が行われ、タトゥーをしてもらった人が正装をしてダンスを踊り、本人の家族からタトゥーの親方に現金やサモアの貴重財であるファイン・マット（第4章参照）の贈呈が行われる。

100年以上前にタトゥーの慣習が失われてしまったタヒチ出身の実業家が、運営するポリネシア舞踊団のダンサーの希望を叶えるべくポリネシア中を探し回り、1982年にようやくサモアで伝統のタトゥー師を見つけ、若者の願いを叶えたことは第1章に既に述べている。サモアのタトゥーは伝統の彫り方を守るタトゥー師がいて、それなりに伝統が継続されていたが、この頃からタトゥーの世界的な流行が始まり、サモアではさらに盛んになっていくのである。

❖タトゥーと先住民運動

タヒチ出身のかの実業家タヴァナ氏とダンサーのイオテヴェ[*9]の経験は、タヒチのタトゥー史の中で、貴重な出来事としてとらえられている。それまで実際にタトゥーがキリスト教会の目論見通り完全に消え去っていたというわけではなさそうである。しかしそれはアンダーグラウンドの文化であり、タヒチのタトゥーを研究した桑原牧子にいわせれば「監獄とストリートで」行われ、仲間同士で入れ合うような性質のものだったし、デザインもかつてのポリネシア的デザインではなかったようだ。[*10]

タヴァナ氏はその後、タヒチのヘイヴァ祭に数年間、サモアのタトゥー師を招いて、「本物」のポリネシアのタトゥーをタヒチ人が入れられるようにしたのである。やがて公衆衛生的目的で政府は伝統的な道具を使ってのタトゥーを禁止した。しかし、ポリネシア的デザインの追究は続いたし、もちろん新しいデザインを創作したり、伝統的デザインに織り交ぜたりすることが行われるようになった。タトゥー師が職業として成り立つようになり、彼らの組合もできた。

フランス領ポリネシアの首都、タヒチ島パペーテにはそれぞれの諸島から人々が集まってきているが、主に使われているのはマルケーサス諸島のデザインをアレンジしたものであるという。伝統的なマルケーサスの男性のタトゥーは全身に施すものであったが、現在タヒチで行われているのは、そのデザインの一部を切り取って自分の好きな部位に入れることだ。時間をおいて、また違う場所に足していくことも多い。最近では、ポリネシアの他の地域のデザインを混ぜることもあれば、部分的にこはサモア、ここはマオリ（ニュージーランド）とする場合もあるようだ。

マオヒというのは、フランス領ポリネシアの先住民を表す語であるが、タヒチ島の住民にとって、タトゥーはマオヒとしての印であり、デザイン的にはポリネシア系であればあとは好みとなるようだ。「マオヒならタトゥーしなくっちゃね」といった意識があるようで、タヒチ島の先住民運動の盛り上がりとタトゥーの流行とは関わりが深い。かつてのマナを包むものであったタトゥーとは意味が違ってきたのである。

同じように、ニュージーランド・マオリの間でも先住民運動が盛んになるにつれ、モコ（タトゥー）は盛んに行われるようになってきた。*11 マオリの伝統的なタトゥーは、体にも入れるが、男性は顔全体に施すものであった（写真3―3）。女性は口からあごにかけて、レースの型取りをしたような繊細なデザインである（写真3―4）が、男性のものは顔全体で、かなりのインパクトであるし、とても痛いと聞いた。マオリのタトゥーは、ニュージーランドで普段の生活にはなじみが薄いものとして、特別な祭典やダンスの競技会などで、日本の貼り絵のようなものを貼り付けることが普通だったし、今でも太平洋芸術祭のダンサーなどはこれが多い。

『ワンス・ウォリアーズ』という、都市の下層に暮らすマオリ人の家族を描いた映画があるが、5～6人いる兄弟姉妹の長男がマオリのギャングに入り、その印として顔にタトゥーを入れて家族の下に帰ってくる場面がある。お母さんはやっちまったな！という表情だったが、特に長男をそれで責めることはなかった。ただし、現在でもタトゥーを顔に彫っている男性は少ない。アーティストとか、社会運動家とか、タトゥー師といった人々であるようだ。ところが女性の方はもっと多い。これは彫るときの痛みや、顔面積の中のサイズが影響しているかもしれない。また知らない人が見たとき、男性の場合ほど衝撃的ではないかもしれない。お父さんが顔にタトゥーを彫ったとき、家族全員がそばにいて歌を歌っているビデオを撮影したアーティストがいたが、みんなで歌を歌って勇気づける習慣になっているという。

先住民運動と連動して、タトゥーが盛んになっているニュージーランドであるが、人々は顔に入れる代わりに、腕や背中や腿や脛など違う場所にマオリ特有のらせん文様や、曲線のデザインのものを

写真 3-3　マオリ首長テ・ヒラ・テ・カワウ。チャールズ・A・ロングフェロー収集。アメリカ合衆国国立公園サービス提供。PD

写真 3-4　タトゥーをしたマオリ女性。19 世紀後半撮影、フランス国立人類学博物館所蔵。PD

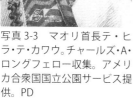

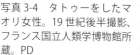

入れることが増えている。これはタヒチの場合と同様である。来日中のラグビー選手でも、マオリの人はマオリのデザインを左腕に施していることが多い。例えば、アーロン・スミス選手やコーディ・テイラー選手、ＴＪ・ペレナラ選手はマオリのデザインである。ソニー・ビル・ウィリアムズ選手は見事なサモアのデザインを右腕に彫っており、肩まで入っている。写真３―５は、２０１１年ニュージーランド開催ラグビー・ワールドカップ大会の優勝パレードで撮影されたもので、ピリ・ウェエプ選手とマア・ノヌー選手のそれぞれのエスニック帰属がよくわかる。２０１９年９月22日に熊谷で行われたワールドカップ、サモア対ロシアの試合の一部をテレビで見たが、サモアの選手たちも腕のタトゥーに限られるようであった。ペア（伝統的なタトゥー）はいないのかもしれない。選手たちの多くはニュージーランドで生まれたか、サモア生まれでも高校時代はニュージーランドなどで過ごし、現在イングランドやスーパーラグビーなど海外のプロチームでプレイしている。彼らに感化されたのか、白人選手でも入れている人が結構いる。

ニュージーランドの画家ライル・ペニスラは、父がサモア出身の彫刻家であるが、彼が描いたサモア人の父と息子の絵がある。ポップ調の画面に、父はラヴァラヴァ（腰巻）姿で、そのウェストから上にはペアが見え、サモアの武器であるニフォオチをもっている。父の肩に仲よさげに腕をまわしている背の高い息子は、ジーンズ姿で腕にリボンのようにタトゥーを入れている。２人ともデザインはサモアだが、入れた場所が違う。ジーンズとラヴァラヴァという違いもニュージーランドに住むサモアの移民父子の立ち位置を表している。

さて、先住民ではないサモア人は、ニュージーランドでは移民マイノリティである。先住民運動で

写真3-5　ピリとマア、2011年ワールドカップ優勝パレード、shafraz.nasser撮影。CC BY 2.0、トリミング処理済

はないが、独立国サモアとしては世界の国家群の中でのマイノリティであり、ニュージーランドに行ってもマイノリティである。その他の諸国ではウルトラマイノリティであるといえる。その中で、存在感を示す印として、タトゥーの流行と共に、人々のタトゥー熱は著しいものとなってきた。また世界的流行と共に、サモアにタトゥーのためにくる観光客もいれば、1年のうち半分以上をヨーロッパやニュージーランドで過ごすサモア人のタトゥー師もいる。移民コミュニティに顧客は十分いるし、それとは別に白人の顧客もいる。また各国の催しに出向いてタトゥーの実演を行ったりもするのである。今やサモアのタトゥーはグローバルに成長した。新しいデザインも編みだし、アーティストの作品にヒントを与えるようにもなっている。まさにボディー・アートと呼ばれるにふさわしくなったといえる。

❖日本人とタトゥー

私のある友人のマオリ女性はタトゥーの愛好家でもある。体のあちこちに、それぞれの諸島の異なるデザインのタトゥーがあり、それぞれの諸島に行ったときに記念に入れてくるのだという。そんな彼女が日本にやってきた。マオリ女性のタトゥーを顔に入れた彼女は、日本に来て差別が少ないという。ニュージーランドにいると乗物にのったとき隣に来て座る人はいないが、日本では座る人がいるし、あまりじろじろ見たりしない、と日本人を褒めてくれた。これはおそらく、日本人は無関心を装うことが上手で、本当はしげしげ見たいところではあるが、そんな無遠慮なことはしない。電車の空席をようやく見つけて座ったところが、隣に顔にタトゥーをした珍しい女性がいるのだが、今さら立って別の席に行くなんてできない、と悩んでいたかもしれない。そんなことはおくびにも出さず、ひたすらスマホを眺めていたのかもしれない。

あまり表情に出さない日本ではありそうな話だと考えたが、それ以上に驚いたのはニュージーランドの人々の反応である。繁華街を歩けば、タトゥーをしている人はそのあたりにいくらでも歩いているし、特に珍しくはない。そして、あっけらかんと、この間ここにも入れちゃった、とタトゥーに夢中の彼女が、そんなこと気にしていた、ということにむしろ驚いた。きっと顔に入れるというのが、大変なことなのかもしれない。彼女に言わせると、タトゥーを入れたら、入れる前とは人生が変わる、という。人の見る目、顔を見ることで、相手の表情もよく見えるのだろう。覚悟が必要よ、という。その意味では、やはり入れる入れないは、人生の大きな岐路なのである。

しかし、日本人のタトゥーに関する態度や考えをおもんぱかって、選手にはタトゥーをプールや浴場で覆うように、試合を見にくる観光客にもその点気をつけるように、という海外メディアやそれぞれのラグビー協会の前述の注意喚起はちょっと気にしすぎな感じがする。

日本では確かに明治の時代に刺青が法律で禁止され、その法律が戦後に人権的理由でGHQのお達しにより廃止されたということは、今回調べてみて私も知ったことであるが、少なくともその間刺青が廃れることはなかったし、戦前にはむしろ現在より大勢の人が彫っていたのではあるまいか。また彫るのがヤクザに限られるようになったのも、それほど古い話ではない。私は幼い頃、父に連れられて銭湯に行っていたが、刺青した人がいたことはあった。特に入浴禁止といったルールはなかったと思うし、多分来ていた人は、大工や鳶職の人などであってヤクザではなかっただろう。

小泉純一郎元首相の祖父で代議士だった小泉又次郎は刺青をしていたことから、「いれずみの又さん」と呼ばれていたらしいが、家業である鳶の親方を継ぐこととなったため彫ったという。若い人は早とちりして又次郎はヤクザだった、と思うことがあるようだが、そんなことはない。堅気である。

2015年に、タトゥーは医師法に違反しているとして、大阪でタトゥー師が起訴されたことがあり、地裁では有罪となった。高裁の控訴審で有罪となったら、日本のタトゥー文化には大きな痛手であるといわれていたが、2018年11月に高裁で逆転無罪の判決が出された。「タトゥーはアートである」という主張が認められたのである。

このように一旦差別の淵に沈んでいた日本のタトゥーであるが、最近ではおしゃれとしてタトゥーを入れる人も出てきて、さほどレアではなくなりつつある。もちろんまだポリネシアや、南半球に比べたらごく少ない。それでもタトゥーOKの浴場も出るようになり、日本もグローバル・カルチャーとしてのタトゥーには寛容に向かいつつあるところではなかろうか。そこに水をさすような海外の日本観に対しては、若干複雑な思いがする。ご親切に、でもそこまで気を回さなくてもいいんですよ。私たちは「おもてなし」を心得ているし、「お客様は神様」と考えているんですから、といいたい。*12

*1：しかし、古代のタトゥーはこの後途絶えている。

*2：それまでなかった病気が入ってきて、それらが蔓延した。はしか、水ぼうそう、百日咳、結核、性病など。第10章参照。

*3：山本真鳥編（２０００）『オセアニア史』山川出版社。

*4：Alfred Gell (1993) *Wrapping in Images: Tattooing in Polynesia*. Oxford: Clarendon.

*5：サモア、トンガ、フィジーのほかに、メラネシアのヴァヌアツ、ミクロネシアのポーンペイにのみ、習慣が残っているが、グローバル化の影響で、伝統文化になかったキリバスやオーストラリア・アボリジナルの間にも広がっている。

*6：サモアのタトゥー文化について、さまざまな書物が出版されているが、最近出版された写真の多い評判の良い書籍を紹介しよう。Sean Mallon & Sebastien Galliot eds. (2018) *A History of Samoan Tattooing*. Honolulu: University of Hawai'i Press.

*7：Krämer (1994 (1901)) *The Samoan Islands*. University of Hawai'i Press, vol.1 p.35. この伝承は、さらに Firth, Milner, Leach などの間で Man 誌にて論争となったが、ここでは詳細には立ち入らない。

*8：タトゥー師の親方はこの名前で呼ばれるが、伝統的にはこのほかに大工、船大工もトゥフガと呼ばれる。タトゥーの親方は、あるファミリーの独占となっており、彼らと彼らに許された者だけが、伝統的手法でタトゥーをすることができるという。その他に独学でタトゥー師となった人たちもいるが、彼らができるのは機械で彫るタトゥーだけである。

*9：彼は、片方の親がマルケーサス諸島、もう一人の親がオーストラル諸島出身のようである。彼の望みは、マルケーサス諸島の戦士として描かれたような全身のタトゥーを入れることであった。

*10：Makiko Kuwahara (2005) *Tattoo: An Anthropology*. Berg.

*11：モコについても、同じように写真の多い書籍が出版されている。Ngahuia Te Awekotuku ed. (2007) *Mau Moko: The World of Maori Tattoo*. NZ: Penguin.

*12：かくいう私は、個人的にはあまりタトゥーを入れるつもりはないし、好きというわけではない。宗教・慣習でしなくてはならないのであれば別だが、やはりタトゥーなしの方が、着るものは自由に選べるし、着替えることができるから。タトゥーを擁護するのは、バーや浴場の「タトゥーお断り」が人権に関わる問題であると考えるからである。

第4章 サモアのお金、ファイン・マットの謎

かれこれ半世紀近く前、西サモア[*1]に首長制の調査に行くことは、博士課程に進学した私の願望であった。当初ハワイ大学のスタディ・アブロード・ツアーに入れてもらって、およそ1カ月のサモア現地言語文化研修を終えた後、1978年6月には知人を頼ってサモアの村に住むようになったが、では実際に首長制をどのように研究するかについて確たるプランがあったわけではない。

村の首長会議の参与観察をさせてもらうなど、さまざまな方向からこの制度にアプローチを試みたが、どうもとらえどころがない。しかし、次第に当時サモアでしばしば目の当たりにする儀礼交換（ファアラベラベ）に焦点が合うようになってきた。儀礼交換をイベントとして観察した場合、そこで交換されるモノの種類・数、交換する人間関係、儀礼の形などはデータ化しやすいからだ。

❖首長の悩みは儀礼交換

儀礼交換のためには贈る財を集めなくてはならない。この慣習は人々の生活を蝕むと同時に、その

肩に重くのしかかっていた。彼らも儀礼交換をチガーイナ（苦しい、負担だ）という。しかし終了後に、「どうだ。見事な儀礼交換だっただろう」と誇ったりもしていた。そのように人々にとっては誇るべきものでもあり、しかし結構な負担でもあるアンビバレントな存在であった。

儀礼交換の中心となるのは、ファイン・マット[*2]である。これは、サモア語でイエ・トガと呼ばれ、パンダナスの葉の内側の葉肉を削いだ葉の表皮だけを、1ミリから3ミリ程度の幅に裂いた繊維を斜め平織りにして作った編み物である、と古い本には書いてある。サモアの貨幣、宝物と記されている文献もあった。まだスタディ・アブロードの研修中に滞在していた村でお葬式があり、そのおかげで、これがファイン・マットか、と理解できた。しかし、実際のファイン・マットはごわごわした敷物と変わらず、それほどにすばらしいものであるとは思えなかった。当時、ファイン・マットの粗悪化は既に始まっていたのだ。もともと女性が半年から1年くらいかけて作る、しなやかで美しいマットだったはずが、内側の葉肉もとらない分厚い8ミリ〜1センチ幅の繊維を1週間程度で編み上げた畳表よりやや大きい速成品であった。裾の方が編み放してあるのはかつてと同じである。しかし、昔のファイン・マットはフィジー産のオウムの赤い羽根の飾りが下の方についていたということだが、この頃には着色したニワトリの羽が用いられていた。

ファイン・マットが大量に飛び交う儀礼交換の機会は結婚式、葬式、称号就任式[*3]、教会落成式などである（写真4－1）。親族関係のネットワークがきっちり張られている大家族で暮らすサモアでは、しょっちゅう儀礼交換、特に葬式の機会は多い。その度にファイン・マットとそれに加えて現金が必要となる。かつては、タロイモやブタも交換されていたが、現在では、現金に加えて、カートン入り

写真 4-1　西サモアにて。高位首長の葬儀でファイン・マットを贈る。1981 年、山本泰撮影。

缶詰、コーンビーフなど工業製品の食品が用いられるから、結局現金が必要なのだ。海外、特にニュージーランドに親族が移民している場合、電話をかける。1980年頃はまだ、携帯電話以前の時代で、固定電話がある家庭も少なく、固定電話があっても交換台で予約をしないと国際電話できなかったし、至極高い料金だった。首都アピアの電話局に行くと、大概海外に電話をする人が列をなしていたものだ。対応する職員は手慣れたものである。「どこに?」「ニウシラ（ニュージーランド）」「支払いはトトギ・イ・オー（着払い）?」「そうです」の連続だった。現在、サモアからニュージーランドにプリペイドのケータイでかけると、1分35円ぐらいであるが、当時は電話局から着払いでかけたら3分で数千円していただろう。当時の物価を考えると、これはサモア在住の一般人にとってほとんど支払い不可能な額だった。一方の海外移民は、電話代に加え、儀礼に必要なお金の送金を本国の家族に無心されるのだから、高い給料をもらっているとはいえ、大変な物入りであった。

❖ファイン・マットの海外流出

ファイン・マットは現地で生産されているものだったが、当時ほとんどの家庭ではファイン・マット不足で、儀礼交換の度に姻族、知り合い、近所を訪ねまくって調達していた。首都周辺はさほどではなかったが、田舎の方に行くと、しばしば女性は掃除洗濯の済んだ後、日がな一日ファイン・マットを編んで暮らしていたから、不足というのはちょっと考えると不思議なことだった。

当時、海外で葬式や結婚式があると、首長など地位のある人や、50歳以上の女性がしばしば招かれ、海外の親族の元を訪れることがあったが、彼らの航空チケット代は海外の親族が払ってくれている。その代わり、海外の親族のために、石蒸しのタロイモ、パルサミ（タロイモの葉で包んだココナッツクリームのグラタン）、セア（ナマコのはらわたの瓶詰め）などを、航空会社の段ボールに納め、ファイン・マットを黒いビニールのゴミ袋に詰められるだけ詰めて持参していくのだった。あとで聞くと、海外の親族の葬儀や結婚式に列席したあと、歓待を受けお土産を配り、さらに返礼の現金を懐に帰国するのである。

サモア国内での儀礼交換に海外の親族が訪れることもしばしばあり、見ていると彼らは多額の現金をばらまいて行った。儀礼に列席した牧師たち、高位首長のみならず、すべての首長たちにそれとなく現金を贈り、親族と一緒にでかけると、ホテルやレストランで食事をおごることもあった。要するに、海外移民からは現金が、サモアにいる人々からはファイン・マットが流れていく、ということが生じていたのである。

ファイン・マットは貴重財であり、サモアでしか作れない。正確にいうと、原材料のパンダナス（タコノキ）の葉はサモアでしかとれない。したがって、一般的にはサモアから海外移民に渡すべきものという理解が成り立っていた。しかし実際にはどうだろう。現金はその都度使われ、食料や日用品に変わって消費されていくが、ファイン・マットは一般的に通用する「お金」ではなかったから、儀礼に至るまで、海外サモア移民は家のクローゼット等に保管しておくものであり、やりとりがあっても移民コミュニティ内の総量は減らず、むしろ本国から補充があるので次第に海外移民のところで増えていくというのが実際に起こったことだった。道理で、サモアではつねに不足していたわけである。

1980年代終わり頃の海外サモア人コミュニティでは、既に10枚1束で贈ることが普通だった。1993年にニュージーランドのオークランドで調査をした折に収集した情報では、その数年前に大きな儀礼交換で取り交わされるファイン・マットの数は1万枚を超えてピークに達したのだが、93年頃には人々は前ほど関心を持たなくなっている、と聞いた。オークランドの教会連合が、聖歌隊のコンクールの賞品にファイン・マットの束を充てたところが、不人気で参加も少なかったという。

❖ファイン・マットの粗悪化

19世紀終わり頃から20世紀初めにかけて書かれた文献によれば、ファイン・マットは半年から1年を費やして作るもので、目の詰んだ美しい仕上がりとなるはずである。これを少なくとも1枚仕上げてからでないと女性は結婚できないと書かれているし、村のプリンセス[*4]がよその村の高位首長やその息子と結婚するときには、多数のファイン・マットが持参財となるのであった。私が1980年頃に見たしろものは全く違っていた。まさにゴザというのがふさわしいようなもので、ごわごわしているし、目も粗く、手入れもそれほどよくないし、見るからに価値がわかるというものではなかった。海外の移民二世は、親たちが大金を持って儀礼に行き、代わりに持ち帰った薄汚れたファイン・マットの意味を理解できず、よくよそ者の私に愚痴った。

調査を始めた1980年頃は、1枚仕上げるのに1週間とかいっていたが、1990年頃には、2日とか1日といった話になっていた。美しくもなく、外目にその価値が理解できないようなファイン・マットしか見てこなかった私は、1996年に西サモアで太平洋芸術祭が開催されたとき、現代アート——現代作家の絵画・彫刻など——の展示カタログの表紙がファイン・マットの編み目の拡大写真で飾られ、そこにメア・シナ（貴重なもの、至宝）とタイトルが書き込まれていたのだが、その意味がよく理解できなかった。確かにファイン・マットは別名メア・シナと呼ばれることもあったが、そんなに自慢の品で世界に誇るべきものであると、まだサモア人が考えていたとは思ってもいなかった。それほど、文化財としてのファイン・マットは形骸化しており、現代サモアの儀礼交換制度を抜きにサモア人が価値を置く意味は理解できなかった。

当時ファイン・マットが粗悪化していたことについて、人々は、現代人がパイエー（怠け者）であるとか、生活が忙しくなって根《こん》を詰めた仕事ができない、といった説明をしていた。確かにそれは理解できる。昔はすべての女性がファイン・マット作りに従事していたわけだが、現在では教師や看護師、政府役人、一般企業などで働く女性も少なくないし、アメリカ領サモアの女性は、離島の人を除いてファイン・マットを作らなくなっている。しかしそれ以上に、私は海外に始終ファイン・マットが流出しているということを考慮すべきと考えるようになった。

サモアはまだ互酬性[*5]が広く行われている社会である。移民は現金を多く稼いでいるわけだから、彼らから送金があることは当然と人々は思っているが、やはり多少なりともお返しをしなくてはならない、という意識も一方にある。送金をしてもらう都度、ファイン・マットを金額に応じて贈るといったことはしていないが、何か機会があれば、代わりにファイン・マットを持参したり、贈ったりするのであった。しかし、その送金に見合うだけのファイン・マットを贈る数合わせのために、粗悪化が生じたことは間違いない。

それがだんだん嵩じてくると移民からの送金へのお返しというよりは、送金してね、あるいは現金ちょうだいね、という意味を込めたファイン・マットの贈与が行われることとなった。

❖ファイン・マット生産

マラガというのはリモア語で旅行という意味である。しかし1人で旅行することはあまりなく、かつてはマラガとは村の中で構成される団体（首長会議、若者組、娘組、婦人会など、現在では教会のサブグループ、聖歌隊、青年会などが多い）が、誰かの縁故をたどってよその村を訪れることであった。少人数のこともあるが1人ではない。人々はファイン・マットさえ持参すればよく、歓待を受け、寝る場所や食事を無条件で提供してもらうことができた。現在は、教会などの資金集めに、サモアから海外の教会にマラガすることが広く行われている。

ファイン・マットとちょっとしたお土産を持参する。寸劇やダンスを見せるショーをやって観客からは投げ銭を集め、相手の教団からはまとまった献金をいただく。その御礼としてファイン・マットの贈与が行われるのである。マラガでは通常の儀礼交換で行われるよりも多額の現金が集まり、人々は新しい教会やホールなどを建てる資金とすることが多い。

ファイン・マットはこうして、現金の対価ではないが、現金と反対の方角に流れる財として、西サモアの非都市化地域、特に首都のない方の島、サヴァイイ島でもっぱら製作が行われる品となった。あまりおおっぴらでなく、市場で買う人を探して売る、といったこともなされたが、そうでなくても、ファイン・マットを作っていれば、誰か欲しい人が来て、譲ってくれないかということになるし、そうするとすぐに対価を得ることはなくても、御礼の形でいずれは現金ないし食料の形で返ってくる。また、自分がファイン・マットを必要とする儀礼に出席しなくてはならなくなった場合には、持参すればよい。現金収入の道が限られているサヴァイイ島の女性たちはこぞってファイン・マットを編むという「内職」に従事した。

次第にファイン・マットが余るという現象が始まる。西サモアでは、ファイン・マット1枚を10サモア・ドルに換算して使っていたが、やがてインフレとなり、5サモア・ドルまで値下がりした。アメリカ領サモアに滞在した1992年12月には、西サモアからやってきた教会関係者がトラックにファイン・マットを大量に載せてきて、いくらでもいいから買ってくれないか、教会を建てる資金にするから、といったという話をある牧師館で聞いた。既に部屋一杯のファイン・マットがあったが、[*6]100枚を1000ドルで買ってあげたという。

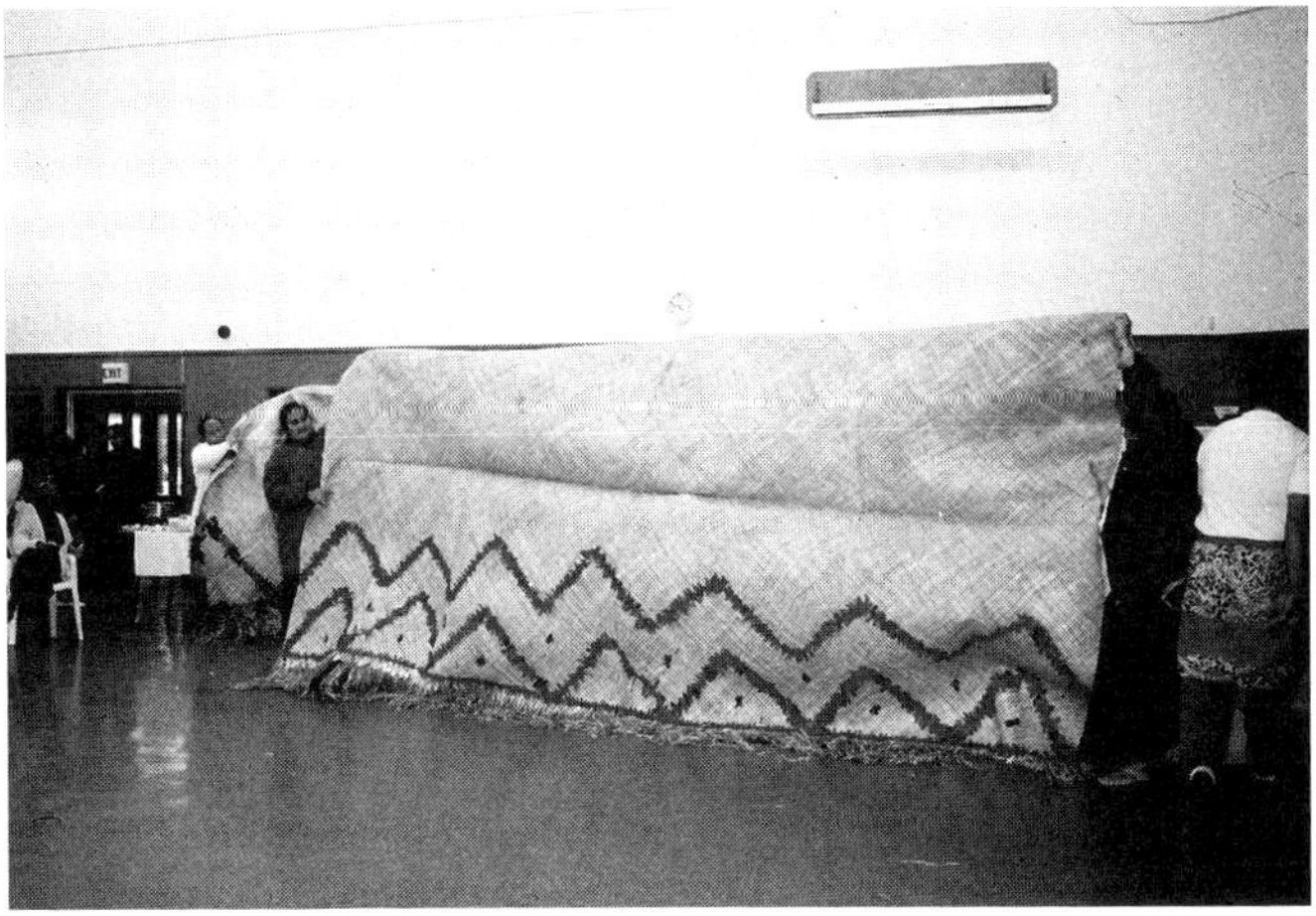

写真4-2　1993年、オークランド（ニュージーランド）にて大ファイン・マットの贈呈。

同時に差別化が生じる。おそらくは数だけで敬意を示すのでは飽き足らない気持ちが生んだと思われるが、大きなファイン・マットが登場するようになった。1990年代には、アメリカ領サモアでも、アメリカ合衆国本土でもニュージーランドでも、とてつもなく大きなファイン・マットが儀礼交換に登場するようになり（写真4－2）、最上級の敬意を払うべき牧師や、姻族、高位首長などに捧げられるようになっていた。5m×3mなどは小さいほうで、横が10m位あるものもあった。

❖ファイン・マット復興運動

こうしているうちに、1990年代の初め頃に、サモアではファイン・マット復興の動きが始まる。以前は、先進各国の援助は途上国の政府に与えられるものであったが、NGOにも援助事業が任されるようになり、サモアにもさまざまなNGOが設立される。その中にWomen in Business

Foundation（現在では、Women in Business Development Inc. に改称しており、ここでは以下、WiBDIと呼ぶ）というNGOが活動を始めた。女性のビジネス界への進出を後押しする事業展開を行っていたが、現在では開発事業一般を扱い、男女の区別はなくとりわけ有機農業を後押ししている。90年代には女性関連の事業に大変熱心であり、その頃に女性が誇りをもてる仕事として、ファイン・マットの復興を始めた。ニュージーランドのODAの援助を得たりしながら、かつてのファイン・マット製作技術をもつ老女を探し、ワークショップを行って、手探りで「本物」のファイン・マットが作れる女性たちを育てていった。緩やかなインフレの中、労賃も次第に上昇しつつあり、観光産業も90年代には始まっていた。人々の生活にはますます現金が必要となりつつあったし、政府も人々の現金収入を増やすことを奨励していた。

速成のファイン・マットは、目が粗いだけでなく、繊維の作り方も不十分だった。もともとはパンダナスの中でもラウ・イエという種類の葉を使うが、速成ファイン・マットはラウ・ファラという寝具マットの材料を使っていた。ラウ・イエはトゲが多くて作業は容易ではなく、また収穫量が少ないので、栽培を増やす努力が必要であった。まず、1m半ほどの長い葉を大釜でゆでてから、葉の表面のみ剥いで1週間ほど海水につけて漂白する。その後天日干しにし、何度もしごいて柔らかくする。編むときには、細く裂いて表皮の裏のカスをとり除き、表皮を2枚背中合わせにして斜め平織りにする。完成には1年、早くて4カ月ほどかかる。速成ファイン・マットがごわごわして重いのに対して、本物のファイン・マットは軽くてしなやかである。

❖女性の現金収入とファイン・マット

現金が重要な世の中に変化しつつある中、女性の現金収入を増やすことと、誇りある仕事を行うという意味で、ファイン・マット製作は理想的であった。しかし難題は、製作に時間がかかることである。誇りあるファイン・マットを作り高い値段でそれを売ったとしても、編み始めから仕上がりまでの時間は無収入になってしまう。そうなれば、誇れる「本物」を作りたい気持ちがあっても現実にそれを作ることは難しい。そこを仲介する方法を考えたのはW・i・B・D・Iであった。W・i・B・D・Iは、ファイン・マットを買いたいという人（購買者）と編みたいという人（編み手）を見つけその仲介をするだけでなく、購買者からは定期的に振り込みをしてもらい、編み手の作業を監督して、できあがりに応じて給料を支払う、という仕組みである。これをスポンサーシップ・スキームと呼んだ。購買者にしてみても、それだけ高価な品を一度に高額の支払いをして買うのは難しいが、分割払いで支払うなら何とかなるかもしれない。編み手の中には、子どもの授業料など、定期収入を得てさまざまに役立てることができた人もいた。また、サモアでは互酬性意識が強いので、いっぺんで高額の支払いを受けたりすると、家族や親戚におこぼれを渡す必要があったりして、まるまま収入を思い通りに使ったりできない。その意味で、月々、あるいは2週間毎の給料としてもらうなら、上手に使うことができる。

W・i・B・D・Iの女性の誇り回復と現金収入確保の動きに連動して、政府もこの事業に関わるようになった。村々に出向いて、伝統的な制度として女性が集まってファイン・マットを編んでいたファレ・ラランガ（編み物の家、写真4－3）を結成するよう働きかけ、女性の仕事ぶりの視察を行うようになった。また1年に一度コンテストを開催して優勝者には賞金を出すなどの活動も行った。政府のこの制度で

写真 4-3　2011 年、サモア独立国（旧西サモア）の非都市化地域のファレ・ララガ、復興した「本物」ファイン・マットを編む女性たち。

ファイン・マットを完成した人は、W・i・B・D・Iのスキームを通さずに購買者を見つけたが、政府は紹介をも行った。

サモア社会はかつてよりずっと格差が目立つようになってきた。政府高官、牧師、医者、弁護士などの収入は半端ではない。そういう人が顧客である場合もあるようだが、実はW・i・B・D・Iの購買者には少なからずトンガの貴族がいるという。白人がこの海域を訪れるようになる以前から、サモアとトンガの間には交易関係があった。トンガでは、サモア伝来のファイン・マットをキエ・ヒンゴア（名のある布）と呼び、家宝としてきた。サモアではファイン・マットは儀礼交換で人にあげてしまうものである——実際に立派なファイン・マットを、自分ないしは親の葬式、娘の結婚式などのためにしまっておく人もいるが、それはそういう一世一代の場面で贈与するためである——が、トンガでは儀礼の折に身につけ、威信を示すものであるらしい。儀礼が終わったらまた持ち帰るのである。

2011年に調査した折に、1㎜〜1.5㎜幅の繊維で作った1等級のファイン・マットは当時5000サモア・ドル[*7]ぐらいしていたので、仮に1年に2枚作ることができるなら、1万サモア・ドルを稼ぐことができ、これは当時の末端の役人の給料にも等しい。ただし、購買者と編み手がごく小さな市場内で取引している状態であるから、需給のバランスがずっと保たれるかは微妙である。2013年と2017年にサモアを短期で訪れた限りでは、編み手は増えつつあり、値崩れも生じている印象を受けた。ある一定の値段を割り込むとたちまち製作意欲は衰えると思われる。

❖麗しのファイン・マット

サモア調査に関わる人類学者の多くは、ファイン・マットを過去のオセアニア芸術の博物館ないしは美術館収蔵品のようなものとして考える傾向があり、名のある収蔵品やそれにまつわる語りを議論することにもっぱら取り組んできた。そして粗悪化した「偽の」ファイン・マットの存在は蔑み、無視し、ほとんど考察してこなかったと思う。粗悪化が、古い技術を忘れた近代化のために生じたとして片づけてしまうことが多いが、粗悪化にはサモア人のグローバル展開とおおいに関わりがあったと私は考えている。

それでは、なぜ復興運動が起こったのか、と読者は問うかもしれない。これは仮説の域を出ないが、以下のように考えられないだろうか。粗悪化したファイン・マットの価値は、過去の栄光にとらえられている間、ある程度保たれていたが、その価値が10ドルが5ドルになり次第に低下していたから、文化財としてのテコ入れが必要であった。また、海外移民との関係を保つためにも、伝統文化の復興は意義あることである。海外の移民（ニュージーランド、オーストラリア、アメリカ合衆国各地、ヨーロッパに住む人たちもいる）、特に海外育ちの移民にとって、ルーツであるサモア諸島を訪れ、その「本物」の文化に触れることは心躍る経験である。本国と移民を結ぶグローバル化したサモア世界のサモア的なるものの中心はサモアでなくてはならない（第15章 サモアの里帰り観光参照）。

博物館でかつてのファイン・マットを見たことはあったが、実際に本物志向のファイン・マットが儀礼の場で取り交わされることを見る機会はほとんどなかった。現在も「本物」のファイン・マットは退蔵される傾向が強いが、2012年に行われた独立50周年記念祭の終わり近くに、賓客の太平洋各国元首に贈られたファイン・マットは確かに「本物」であった。実際の贈呈は、両隅を2名の女性が広げて持ち、足早に贈呈先へと持って行く。届いたとたんにたたまれてしまうのであるが、その5秒か10秒の間、ファイン・マットの裾はそよ風の中でやさしく揺れていた。それは本物であることの証である。まさにメア・シナ（至宝）であった。*8

＊1：1962年独立後、しばらくは西サモアと呼ばれていたが、1997年サモア独立国に改名。
＊2：この章は、山本の著書『グローバル化する互酬性――拡大するサモア世界と首長制』（弘文堂、2018年）の内容をかみ砕いたものである。同書の表紙にアンティークのファイン・マットの写真が出ている。なお、サモア政府はファイン・マットをイエ・サモアと呼ぶことを決めたが、一般には普及していない。混乱を避けるため、一括してファイン・マットと呼ぶ。
＊3：サモアには首長制があり、首長名（称号名）が代々受け継がれる。新しく首長になった人に対して称号就任式が行われる。
＊4：高位首長の娘格の称号名をもつ女性。
＊5：売買とは異なり、贈与の慣習などを通じてものやサービスのやりとりがなされること。
＊6：牧師はファイン・マットをもらう機会が多いし、経済的にも恵まれている。

QR4-1
『イエ・サモア，ファイン・マットとしての文化的価値』(ユネスコ提出ビデオ)

＊7：1サモア ドルはこの調査の時点で35円程度。現在（2023年）50円程度。

＊8：「ファイン・マットとその文化的価値」は長い努力が実り、2019年にUNESCOの無形文化遺産に認定された（QR4−1）。

第5章　オセアニアのお金の話

さて、第４章の続編として、もう少々オセアニア全体の伝統的貨幣もどきの話と、現在の島嶼国家の発行する通貨の話をしてみたい。

❖クラ交換（交易）

おそらくは「クラ交易」の方がよく知られる名かもしれないが、私は「クラ交換」といった方が学術的には正しいと思っている。交易というのは英語ではtradeであって、貿易や取引という意味であるが、クラはさまざまな慣習に取り巻かれている財のやりとりで、単にモノが欲しいからお金ないしは対価の支払いを行って得るという交易（取引）とは少々違うのである。

クラは、機能主義人類学の始祖マリノフスキーが１９１０年代に行ったトロブリアンド諸島[*1]の調査による民族誌『西太平洋の遠洋航海者』（原著１９２２）で広く知られるようになった慣習である。ニューギニア島は西を向いた極楽鳥に喩えられ、その尾の近くにある諸島群はマッシム諸島と呼ばれている。

現在の独立国パプアニューギニアのミルン湾州である。この諸島はさらにいくつもの諸島からなり、それぞれ諸島毎に少しずつ言語も社会構造も異なる。この島々の間では円環状のネットワークが存在しており、長期的には互いに時計回りに赤いウミギクの首飾りを、反時計回りに白い貝の腕輪を隣の島に与えることをしている。この慣習がクラである。

具体的には、マッシム諸島の北西に位置するトロブリアンド諸島の人は、南にあるアンフレット諸島やドブー島に首飾りが届いたらしいと風の便りに聞くと、華麗な装飾を施した複数のカヌーを仕立てて乗組員を募り、危険を冒して航海に出かける（QR5―1）。船団の中には帰還できない船も出るほどに危険な旅である。現地でもてなしを受け、クラのパートナーから首飾りをもらう。しかし、無事帰還して家族と涙の対面をしてお土産を披露したあと、それはカゴに入れてしまっておくだけだ。もっていることは自慢だが、いつもつけて見せびらかしたりするわけではない[*2]。

東側にあるキタヴァ島の人々がこれを聞きつけて同じようにやってきたら、もてなしてその首飾りをあげなくてはならない。逆にキタヴァ島まで腕輪が来たという噂があると、船を仕立ててキタヴァ島まで行って腕輪をもらってきてまた同様のことが起きる。やりとりはすべて個人的パートナー間で行われる。有力者は相手社会のそれなりの有力者とパートナー関係を結ぶ。またパートナーが亡くなるとその兄弟などの係累が関係を引き継ぐ。この慣習はいったい何のために存在するのだろうか、という議論がこれまで盛んに行われてきた。ただ首飾りと腕輪を逆回りに回しているだけで、経済的には何のメリットもなさそうなのに、命の危険を冒してまでどうして人々はクラに行くのだろうか。

その議論にここで深く立ち入ることは無理だが、簡単にまとめれば、貴重な財を入手して名声を希求するためという見解、またそうやって近隣諸島との友好平和への道を探すためという見解、それに加えて、クラは口実で実際にはクラと一緒に持ち込んで交換する特産品交易（こちらはクラとは厳密に区別されている）が目的といった見解、に集約できるだろうか。興味のある方は、文化人類学の教科書などを参照していただきたい。私も何度か書いたことがある。*3

ただ、「オセアニアの今」を考える上で興味深いのは、クラは衰えたり消滅したりすることなく、現在も盛んに行われているということである。1978年にケンブリッジ大学で、クラに関する大きなシンポジウムが開催され、人類学の泰斗エドマンド・リーチやタンバイア、クリス・グレゴリーたちの他に、マッシム諸島海域の別の島のフィールド調査をしている若い学者たちや当時トロブリアンド諸島の調査をしていたアネット・ワイナー、ジェリー・リーチ等も参加したのであるが、当時もクラは衰えていなかった。*4 マリノフスキーのトロブリアンド調査一辺倒だったクラ研究も全域的な情報を突き合わせ、社会によりクラの慣習は多様性があること、またクラの財は諸島間で取り交わされる局面に議論が集中していたが、あまり注目されてこなかった諸島内でのやりとりと併せて見ていく必要があること、その意味ではクラ研究は、人類学者が議論を戦わせ、これからも極めていく恰好のモデルであり、このクラ・コンファレンスはまだ中間地点であること、などが確認されたのである。そして、この報告書に掲載された写真を見ると、マリノフスキーの時代と比べ、ビーズ等の装飾が格段に増えて派手になっていることもわかる。腕輪よりも付けられた装飾の方がはるかに大きい。

さらに2000年を越えるころになると、パプアニューギニア大学を卒業した、作家兼国際ビジネスマンであるトロブリアンド人のジョン・カサイプワロヴァがクラの財を組み合わせた新しいスタイルの宝物を作ったり、航空機や発動機付きのボートを利用してクラの交渉を実施している。キリウィナ島に住む白人が財力に任せてクラに参入することも生じている。しかし、クラに人々がかける情熱は消えていないようだし、クラのカヌーも健在だ。[*5]

ちょっとした脱線をお許しいただきたい。1970年代にトロブリアンド諸島で調査を行ったジェリー・リーチは、トロブリアンド社会のクリケットをテーマに映像人類学の作品を制作している（QR5―2）。トロブリアンド流クリケットは村同士の対抗戦で行われ、選手たちはお祭りのときのように葉っぱの褌をまとい、ペインティングで化粧をする。試合中に点が入ると短いダンスが行われる。村同士の戦いがクリケットに置き代わったというのがリーチの解釈だ。イギリスからオーストラリア経由で伝わったクリケットを全くトロブリアンドの文脈に置き直している点が実におもしろい。同じようにサモアにもクリケットが存在している。ゴムの樹液をバナナの葉の上に流して長く平べったいヒモを作り、それをくるくる巻いてボールを作る。村の高位首長に伴われて、バスをチャーターして他村を公式訪問し、儀礼を行ってから試合、終了後は儀礼の後にお土産をもらって、またバスに乗って合唱しながら意気揚々と帰村するのである。全国大会もある。

❖オセアニアの交換財、または伝統的貨幣

さて本題に戻るが、このクラの財、首飾りと腕輪のような人の手から手へと渡されて行く財は、オセアニアには結構多い。前回でとりあげたサモアのファイン・マットはその好例であるが、南のトンガ諸島では、樹皮布がしばしば贈与に用いられる。サモアにも樹皮布は存在していたが、西欧人と

写真 5-1　2012 年、叩き延ばした樹皮を貼り合わせて染色する作業を行うトンガの女性。

の接触以来、木綿地が衣類として入ってきて、樹皮布はあまり用いられなくなった。トンガでは特産品として樹皮布が大変重要である。今では機械化が進んでいるので、かつてほどではないが、1980年代にトンガを訪問したときは、朝まだ暗いうちから、カーンカーンという木を打ち付けるような規則正しい音がして目が覚めたものである。後にそれが、女性が樹皮を叩き延ばしている音だと知った。「砧《きぬた》打つ」音だったのだ。そうやって1週間の間に何枚も樹皮を叩き延ばした素材を作り、土曜日に素材を持ち寄って貼り合わせ、染色して大きな樹皮布を完成する（写真5－1）。現在ではほとんど衣類として用いることはないが、これが一種の財として、結婚式や葬式等の贈りものとなる。海外のトンガ人の間でも、サモアのファイン・マットのように親族間の贈りものとして用いられている。サモアのファイン・マットよりも換金性が高く、トンガ国内でも移民先のオークランドでも、樹皮布をカタにお金を貸してくれる質屋があるし、質流れ品を売ることもしている。

となりのフィジーでは、マッコウクジラの歯をもつことが地位のシンボルでもあり、儀礼の場面で贈る贈りものにもなっているが、サモアやトンガを越えて東側のポリネシアにはあまりこうした贈与財は少なくとも現在は存在しないようだ。

しかしこの3国の西側のメラネシアには、人の手から手へと渡される財がある。タカラガイは中国では3000年以上前のものが出土しており、世界各地でお金として用いられていた。しかしいくら何でも、ものの対価として渡す以上は何らかの希少性がないと意味がない。そこらに落ちているものを渡して何かくれといっても、持ち主は同意しない。サモアの海岸でもタカラガイはいっぱいとれるが、そんなものは貴重財にはならない。せいぜい首飾りとして用いられる程度である。メラネシアでタカラガイが使用されるのは貝などとれない山奥、もしくは海岸に近い場合には特別な加工品である。

今から60年以上前だが、レオポルド・ポスピシルがニューギニア島の西側のインドネシア領内陸部で調査したのはカパウクという名の集団であった。カパウク人は、大変原始的な生産様式の焼畑耕作民であったが、異なる色やサイズのタカラガイを用いた貨幣制度をもっていて、土地やブタの売買も、土地の貸借料も労賃も、タカラガイのお金で決済可能であると報告している。ほとんどの物は売買可能なのだそうだ。[*6]

2000年代にパプアニューギニアのニューブリテン島トーライ人のタブという伝統貨幣の調査をした深田淳太郎によれば、タブというのは、タカラガイよりもっと小さな巻き貝であるが、単体も、植物の茎に通した棒状の形も、それをぐるぐる巻いて輪にしたものもある。ビッグマンの葬式には必ずその人が集めて作った直径1・5mほどの輪が出て、最後にそれをほぐして会葬者に分配するとのことである。現在パプアニューギニアの法定通貨である紙幣と硬貨の他に州政府はこれを補助貨幣として法律上も使えるものとし、税金や授業料などをこれで払うことができるようにした。*7 これは伝統文化保護、アイデンティティ保持といった現代的テーマに即した法律なのだろう。各地でそのような動きが存在している。

1985年にニューギニア高地のメンディという町に行ったときには、たまたま賠償の儀礼に遭遇した。それはバスに乗っていた老人がバスから転がり落ちて亡くなったという事件に起因するらしい。老人の遺族代表である部族の面々は数十人いただろうか。中には戦いの衣装に身を固め、顔や体をターメリックで黄色に塗った男たちが、それぞれに槍を携え、演説をする仲間の合の手に気勢を上げていた。かたや、余りきれいではなかったが半ズボンにシャツなどの服装の集団（5〜6人いただろうか）は目立たずそこにいたが、やがて遺族集団の演説の終了を合図とするように、赤く塗った真珠母貝（首に提げられるようにヒモがついている）を震える手で差し出して渡したとたん、蜘蛛の子を散らすように走り去った。現代的集団はバスの運転手の組合だったらしい（写真5—2、5—3）。

ミクロネシアも西側の島々に交換財が今も残っている。ヤップ島には有名な石貨がある。南隣のパラオ諸島の最北端にある無人島に竹のイカダで行き、石を切り出し、直径50㎝位のドーナッツ型に整形して持ち帰っていた。殺人、傷害、姦通などの事件の賠償として使用し、結婚の際には女性方から男性方へ贈る財となる。身分の高い家には周囲に石貨が置いてある。また石貨が並べてある広場もあ

写真 5-2　パプアニューギニア高地メンディにて。気勢を上げる老人の親族たち。1985 年撮影。

写真 5-3　同じく、貝貨を差し出すバス運転手たち。1985 年撮影。

写真 5-4　ヤップ島の家の軒先。石貨が並んでいる。1974 年撮影。

る。どの石貨が誰のものかは皆知っているので、盗んでも意味がないらしい。だからそのあたりにおいてあっても大丈夫なのだ（写真5―4）。

パラオでは、ウドウドというカラフルなガラス質のビーズが貴重財である。由来はよくわかっていないが外来のものであることは明らかだ。やはり紛争解決などにも用いられるが、この社会では結婚に際しての用いられ方が強調されている。夫方居住婚の母系社会であり、夫方に嫁入りする女性を通じて貴重財を入手した実家の兄弟は、これを妻となる人の実家に贈って結婚することができる。また、女性は婚家先の水田でタロイモ農耕に従事するが、頑張った見返りとしてウドウドをもらい兄弟に渡す。だから兄弟は姉妹に頭があがらない。ウドウドは夫方から妻方へと順繰りに渡されていくことになる。現在もパラオの身分の高い女性はしばしばこのビーズをネックレスのように首に着けている。ウドウドを見て、その人の身分の高さを知るのである。

❖お金って何だろう？

これらの貴重財は、現代の法定通貨に混じって流通している。人々の手から手へと渡っていくものであることは間違いない。しかし多くの場合、慣習に従って特定のコンテクストで贈られることがほとんどであるし、近代貨幣が入ってくる以前も取引に利用されるよりは「コンテクストに合わせた贈与品として贈られるものであった（もっともカパウク人の場合は違っているが）。最初に接触した人々は必ずしも人類学者ではないが、多くの場合、現地の貨幣であると記述してきた。サモアのファイン・マットも例外ではない。貨幣であるとの認識は、貨幣が必ずしも我々が普段使っているようなお札とコインでなくてもいい、ということである。

実際に何らかの支払いにしばしば用いられるものとして、タバコやお米、干し肉、宝石や金の塊などもあった。ただ、我々が用いる貨幣は、中央政府が発行したものとなっていて、そのあたりがおおいに異なる。現在のファイン・マットはサモア独立国政府がその増産政策を打ち出してはいるものの、政府に持って行ったら等価の現金と交換してくれる、ということはなかろう。もちろん、他のケースも同様である。そのように政府の信用に裏打ちされたものではないが、人々は慣習によりそれらの価値を認識し、受理していたのである。

経済人類学の研究以前には、キギンなど民族学者が世界中のケースを集めて「原始貨幣」として研究を行ってきたが[*8]、これらが貨幣の原初形態なのかどうかには、さまざまな議論がある。人類学者はこれらを、交換財、貴重財、あるいは特定目的貨幣などと呼んできた。「特定目的貨幣」の逆は現代の貨幣であり、「全目的貨幣」である。何とでも取引可能な全目的貨幣と異なり、特定目的貨幣は特定のコンテクストでしかやりとりが行われない。

従来貨幣には3つの機能があるとされてきた。欲しい物の対価として支払いを可能にする「交換」機能、価値を貯めておく「貯蔵」機能、価値の基準となる「価値尺度」機能である。しかし、特定目的貨幣は、コンテクストに依存してしかやりとりが行われないため、貯蔵機能を除く2つの機能に関しては不完全であるといわざるを得ない。

そして、このような交換財ないしは原始貨幣、すなわち特定目的貨幣が進化して現在の通貨になった、ということに関しては、おおいなる議論が存在しており、栗本慎一郎などが疑念を抱いている点でもある。貨幣がどのようにして始まったかという点については、アダム・スミス以来、経済史の分野ではおおよそ以下の見解が語られている。まずは余っているものをそれぞれに交換していた。しかしそれだと自分の余っているものと欲しいものの組み合わせが相手の余っているものと欲しいものの組み合わせと一致しなくてはならず、一致しないものをとりあえず何か（誰でも欲しくて日持ちのするもの——米など）に一旦換えておくようになった。これが貨幣の始まりだという。しかしそれでは、特定目的貨幣のほとんどが使用価値のないもの（クラの財、ヤップの石貨などが典型）であることは説明できない。

人類学者以外にも多くの読者を獲得したグレーバーは『負債論』（2016、原著2011）の中で、貨幣の始まりは負債のカタとしてとりあえず渡しておくものである、という議論を展開していて、これはなるほどと膝をたたくほどの発想の転換である。確かに、特定目的貨幣の用途は婚姻の際に贈るものとなっていることが多く、2つの氏族で花嫁交換をする限定交換で、与えるべき花嫁が存在しない場合、一旦の借りを示すものとして特定目的貨幣を渡しておくというのは人類学者としてはよく理解できるし、アフリカのティヴ人のようにそれを特定目的貨幣の真鍮棒について意識的に語っている人々もいる。渡す女性がいないから、代わりにいったん真鍮棒を渡しておく、と。しかしここから、一般交換などで贈られる独自の価値あるものの贈与に議論をつなげてほしいところだが、グレーバーはそうではなくヨーロッパ史の議論に移行してしまい、「未開社会」の問題をそれ以上考察してくれていないのは残念である。

さて、現代人にとってお金は絶対なくてはならないものであるが、それは現在既に我々が食料などを自分で生産することをやめているからである。仮に食料を自分で生産していたとしても、現代人は社会内の分業体制の一翼の生産ないしはサービスを担うことしかしておらず、常にその他の必需品は商品として買って、人生を送るようになっているからだ。お金は必要なものを買うために欲しいはずだが、特に欲しいものがないときでも欲しい。それは将来欲しい物が出てきたときにいつでも交換できるように価値の貯蔵をしておくということである。すなわち、お金とは他人が欲しがっているものでなくてはならない。誰もが欲しいと思っているから、お金が欲しい、という逆説が成り立つことになる。

❖通貨制度とアイデンティティ

さて、第4章では海外コミュニティ在住のサモア人が儀礼交換に参加するということについての議論を展開したが、現在ではファイン・マットの交換はサモア人にとってのアイデンティティに等しいものとなっている。海外移民にとってファイン・マットの交換は本国との間で現金の形で多くを与える結果となり、交換だけをとらえれば損に損を重ねることとなる。それがいやで交換に非協力となれば、コミュニティからは「あいつはサモア人じゃない」といわれてしまう。コミュニティと距離を置くと、その外に追いやられてしまう、ということだろう。あたかもファイン・マットのやりとりはサモア人としての証であるかのようだ。これがトンガ人なら樹皮布ということになる。

通貨とアイデンティティの問題は、あまり語られることはないが、経済活動の境界を守るという意味で、国民国家として実は重要な問題であろう。EUの統合度を高める意味で、ユーロという通貨統合がなされたことは記憶に新しい。それに伴ってユーロ圏の人々は単に通貨と経済を共有しているという認識だけでなく、統合がEUのアイデンティティを深める結果となったのではなかろうか。もちろんこれによってフランスとドイツは一緒の仲間だと人々が考えたというのはあまりに短絡的で、そう簡単な問題ではないだろうが。私はヨーロッパのことに関しては全く門外漢であるけれども、イギリスがポンドを手放さなかったというのは意味深長であると思う。最初からEUからの後戻りの可能性を担保しておいたのではなかろうか。

また、経済人類学の特定目的貨幣研究の文脈では、地域通貨という新しい課題がある。これは地域の統合性を高めることや、助け合いの理念を深める哲学を共有する人々を繋ぐことを始めから企図している場合がよくあり、共有する価値意識をもつ人々のアイデンティティを高め、互いの助け合いを深めようとしているのだ。まさに通貨が連帯感を作り出し、コミュニティを生成するのである。

小国なりとも、法定通貨をもつということは、人々のアイデンティティを強め、国家としての統合を高めるために重要であるはずだ。法定通貨は国民国家の印であり、独立国の矜持であるといえよう。

写真 5-5　太平洋諸島の貨幣。コインの上段左２個はクック諸島、右２個はフィジー、中段サモア独立国、下段トンガ王国、紙幣は上がサモア、下がトンガ。

しかしオセアニアの極小国では、法定通貨をもとうとしても国としての体力がないために、それが難しいケースもある。もともと人口の少ないミクロネシアでは、旧アメリカ合衆国信託統治領だった国々はすべて合衆国通貨をそのまま用いている。ナウル、ツバル、キリバスはオーストラリアの通貨、しかし、ツバルとキリバスは硬貨のみ発行している。財政の苦しい中、硬貨だけでも、ということだろうか。ニュージーランドの自由連合であるクック諸島とニウエは基本的にはニュージーランドの通貨を用いている。ただしクック諸島は、３ドル札や三角のコインなど、変わった独自通貨も発行している。観光客には人気である。

　メラネシア各国や、ポリネシアでもサモア独立国やトンガは、独自の法定通貨をもっている。それぞれに国家のシンボルとなるデザインが用いられていることは興味深い。フィジーのコインには、舟形の割れ目太鼓や、葉っぱで編んだうちわやかつて用いた棍棒が描かれている。トンガの紙幣には王の肖像が見える。パプアニューギニアのドルに相当する単位はキナで、その１００分の１はトエアであるが、両方ともに比較的広域で用いられていた貝貨の現地語呼び名である。

これらは国家としての領域内で通用する通貨であるが、その領域を越えてグローバル化したサモア世界のアイデンティティを保つ装置のひとつとして、ファイン・マットを巡る儀礼交換の存在意義があるとしたら、これは大きなことかもしれない。

＊1：イギリスの権威ある地図には、別名キリウィナ諸島とあるが、キリウィナは諸島内の一番大きな島の名である。現地で調査を行った人に尋ねたところでは、キリウィナを諸島名として用いることはないという。
＊2：日本映像記録ドキュメンタリー（1971）『クラ――西太平洋の遠洋航海者』（市岡康子制作）。
＊3：綾部恒雄・桑山敬己編（2006）『よくわかる文化人類学　第2版』ミネルヴァ書房、中島成久編（2003）『グローバリゼーションの中の文化人類学案内』明石書店など。
＊4：Jerry Leach & Edmund Leach eds. (1983) *The Kula: New Perspectives on Massim Exchange*, Cambridge UP.
＊5：Michael Balson (2000) *Kula Ring of Power*, U Hawaii Press, VHS Video.
＊6：Leopold Pospisil (1978) *The Kapauku Papuans of West New Guinea*. (second edition). NY: Holt, Rinehart and Winston.
＊7：深田淳太郎（2006）「パプアニューギニア・トーライ社会における自生通貨と法定通貨の共存の様態」『文化人類学』71（3）。
＊8：Alison Hingston Quiggin (1949) *A Survey on Primitive Money: The Beginning of currency*, Methuen.

QR5-1
『マリノフスキーとクラ交換』
解説：Adam Kuper

QR5-2
『トロブリアンド諸島のクリケット』（予告編）
制作：Gary Kildea, Jerry Leach
Royal Anthropological Institute

第6章　航海術の復興

ディズニー・アニメ映画『モアナ』を見た人々は、ポリネシア人が海に親しみ、航海を苦もなく行っていた様に強い印象を受けたかもしれない。太平洋のど真ん中[*1]で暮らしていた人々は、当然のように海と共に生きてきた。ポリネシア人がどのようにして現在のポリネシア地域にやってきたか、どのようにして島々に住み着くようになったか、に関わる諸説はかつてよりあった。一番話題性が高かったのは、コンティキ号による実験航海である。

❖ポリネシア人はどこから来たか?

ポリネシア人の南米起源説を唱えたノルウェー人考古学者のトール・ヘイエルダールは、クルーを募り、バルサ材などを用いた大きなイカダを建造してペルーを出航し、ツアモツ諸島のラロイア環礁に到達した。スコールをシャワー代わりにしたり、フライパンの上にトビウオが飛んできて魚のフライができたりする、『コンティキ号漂流記』（1951年、月曜書房）に描かれた冒険物語に心躍らせたのは私だけではあるまい。

しかし現在では、考古学・言語学などの先史学の成果により、ポリネシア人の南米起源説はほとんど否定されている。ポリネシア人の祖先オーストロネシア語族は、台湾あたりを起源として、紀元前2000年頃に移動を始め、東南アジアの島嶼部や、西はマダガスカル島にまで到達しているが、彼らの一部がインドネシアから島伝いに東へ東へと進み、ニューギニア島の沿岸部や周囲の小島にコミュニティを残しつつ、メラネシアを通過してサモア諸島、トンガ諸島あたりに到達したのが紀元前1000年頃。さらに紀元頃には東に進み、マルケーサス諸島、やがてソシエテ諸島に住み着き、そこから四方八方に拡散したことがわかっている。彼らはメラネシアではラピタ式土器という赤土の粘土で焼いた土器をもっていたが、マルケーサス諸島あたりでその形跡は消えてしまっている。サモア、トンガでも発掘すると出てくるものの、生活文化の中で土器が姿を消して久しい。なぜ姿を消したかは、おそらくポリネシアには焼きもの向きの粘土がなかったからだろうと言われている。

太平洋に点在する小島群には無人島ももちろんあるものの、実に多くの島々に人々は住み着いている。嵐などに出会って船が難破した結果、人々が次第に拡散することになった、という偶然航海説が有力だった時期もあるが、コンピュータでシミュレーションをしてみると、難破だけではとてもこれだけ人々が拡散しないとわかった。ポリネシア人は計画的に航海を行って、新天地を見つける船旅にでかけたのである。おそらくそのときに、ココヤシやタロイモなどの定番の植物、そして犬とニワトリやブタを乗せて、家族で新天地へと旅だった。序章に書いた神話的存在であるクペは、他の首長との間の争いに嫌気がさして、妻と子どもたちを伴ってライアテア島から航海に出てニュージーランドを発見するのであるが、そのようにしてポリネシアの島々の発見が成し遂げられたというのが現在考古学者や人類学者が考えていることである。

❖アウトリガー・カヌー

アウトリガーというのは、日本語では舷外浮材と呼ばれるもので、船から横向きの腕木を出し、つきだした部分に船体と並行につける浮きである。東南アジアのオーストロネシア語族の間では船体の両側にこれをつけるダブル・アウトリガーというものがしばしば見られるが、オセアニアでは圧倒的に片側にだけつけるシングル・アウトリガーが多い(写真6－1)。素人目にはダブル・アウトリガーの方が安定的だろうと思えるが、実際には海が荒れたときなど、むしろ余分な力が働いて壊れやすい。シングル・アウトリガーは揺れたり傾いたりはあるが、船としての強度は高い。片側についただけのアウトリガーは不安定に見えるものの、船がアウトリガーの方に傾くと、アウトリガーが水の中に沈み浮力で傾きを戻す力が働く。アウトリガーの反対側に傾くと、水から出たアウトリガーは、重みで水面に引きもどされる。かくして、アウトリガーによって船のバランスが保たれるのである。

櫂でこぐだけで、魚釣りに使う小さなものから、帆を張って外洋に出るものまである。大きなものになると、アウトリガー部分がさらに大きくなり、そこに乗船できるようなスペースが作られているもの、もっと大きくなってダブル・カヌー(二槽船)になっているものもある。太平洋の探検を行った17世紀、18世紀のヨーロッパ人は、きわめて大きなダブル・カヌーに身分の高い首長層と家来たちが乗船している様を報告している。写真6－2はキャプテン・クックが帯同した画家のホッジスが描

写真 6-1　魚獲りから帰還。1978 年サモア、マノノ島にて、山本泰撮影。

写真 6-2　タヒチの戦闘用ダブル・カヌー。1776 年、ウィリアム・ホッジス画。王立グリニッジ博物館蔵。PD

いたタヒチのダブル・カヌーである。

これらのカヌーは、星の動きや遠く水平線上に見える雲、海の色、そして潮の流れなどを観察する航海技術により、外洋を航海することも可能であった。1960年代以降になると、そのような航海技術の伝承者を見つけることで、オセアニアの航海術の研究は進んだ[*2]。

しかし、その性能でヨーロッパ人を驚かせた大きな外洋航海のカヌーは、ヨーロッパ人との接触が増え、さまざまなヨーロッパの工業製品が導入された頃、次第に廃れる方向であった。航海術もカヌーが減るにしたがって、忘れ去られていった。これは単にヨーロッパの文化に目がくらんで、自分たちの技術が顧みられなくなったというよりは、それぞれの諸島の自立性が高まり、その結果として、長距離航海が必要とされなくなったと見ることもできる。船としては大変優秀で、その性能は帆船に勝るものがあるとキャプテン・クックも感嘆したほどであったことを考えると、残念なことである。

一方で、ミクロネシアでは、長距離航海は近年まで続いていた。ヤップ島は東のカロリン諸島の環礁群を従えた一大「帝国」[*3]を築いていた。ヤップ本島を頂点とする幾層もの身分制に従って、それぞれの島から上位の島へと貢物が送られていたし、人々はその朝貢貿易を基本的には小さなカヌーを用いて、長く続けていた。1974年にヤップ島を訪れた際も、ヤップ島の男性は色とりどりのキャリコ布のふんどし、女性は腰蓑が伝統的服装であり、その頃はまだそのような姿を多く見かけたが、一方で小さなアウトリガー・カヌーでやってきた離島の人々は、バナナの葉で作る現地の織物の腰布をまとった姿で歩いていた。

❖沖縄海洋博とチェチェメニ号

1971年に開催された大阪万博のあと、沖縄の本土復帰を記念して、1975年7月〜76年1月まで、沖縄本島の本部《もとぶ》町にて、国際海洋博覧会が開催された。その行事の一環として、太平洋諸社会の慣習や文化の展示を行うために、多くの人類学者の卵たちが太平洋諸国に民族資料集めのために派遣された。このプロジェクトの一環で、ヤップ島傘下のサタワル島の人々にカヌーを作ってもらったばかりでなく、航海士ルイス・ルッパン以下6名のミクロネシア人が乗り組んでサタワル島から沖縄まで3000㎞もの距離をチェチェメニ号と名付けたカヌーにより航海した。同時期に、海洋博にて、様々な民族文化標本と共にタヒチのダブル・カヌー、パプアニューギニアのヒリ交易船[*4]、トロブリアンドのクラ[*5]のカヌー、といったオセアニアのカヌー類が展示された。

現在本部町にある海洋博公園は、美ら海《ちゅらうみ》水族館が大変人気で知られている。同じ公園内には海洋文化館という博物館も設置され、その中で海洋博覧会のレガシーであるオセアニア・沖縄の文化財展示が行われている。最近展示のリニューアルがあり、オセアニア各地の文化の特色をわかりやすく作り直した点で大変よくできた博物館である。沖縄訪問の方々には美ら海水族館ばかりでなく、こちらにも是非関心を向けていただければと思う。

ただしチェチェメニ号だけは、大阪吹田市にある国立民族学博物館に展示されている。全長10m足らずの、おそらくさほど大きいとは思えないカヌーであり、これで沖縄までやってきた、と知ると人は驚くはずだ。クラの船にしても、あれだけの外洋を航海しながら、決して大きな船ではない。

❖ホークーレア号

さて、世界中で先住民運動が盛んとなるきっかけを作ったのは、かつてインディアンと呼ばれていたネイティヴ・アメリカンの権利回復運動である。よく知られているのは、サンフランシスコ湾内のアルカトラス島――監獄となっていた島で、かつてアル・カポネもここに収監されていた――である。ここはもともとネイティヴ・アメリカンの聖地であったため、ここを取り戻す運動が起こり、ネイティヴ・アメリカンの活動家たちが占拠した事件は先住民研究の中で余りに有名である。

この流れの中でハワイにも先住民運動が始まった。無人島のカホーラヴェ島は、第二次世界大戦後から軍の演習場として射撃・爆撃訓練に用いられていた。しかしそこで、人骨が大量に発見され、先住民の墓場であると目されるようになったのである。先住民運動家たちは訓練の中止を申し入れたばかりか、ここに不法に立ち入る者もいて紛争は激化した。[*6]

同時期にそのような「武闘派」でない、ソフトな運動もまた盛んとなっている。差別の中で失われつつあったハワイ文化の復興を志す人々は多かった。これはハワイアン・ルネッサンスと呼ばれる文化復興運動である。フラのグループが多く作られ、チャント（詠唱）に合わせて踊るフラ・カヒコ（古代フラ）が再興された。またハワイ大学ではハワイアン・スタディーズ学部が設立され、ハワイ人の歴史研究に陽が当たるようになった。

そしてハワイアン・ルネッサンスの中で、外洋を航海するカヌーの再建計画が起きる。中心的活動を担ったのは、ハーブ・カネ、ベン・フィニー、チャールズ・トミー・ホームズの3名で、彼らはポリネシア航海術協会（Polynesian Voyaging Society）を設立する。彼らは先住民の技術だけでポリネシア域内の遠距離航海が可能であることを証明したいと考えていた。ハーブ・カネは、中国系ハワイ人で、父の仕事の関係で合衆国本土に生まれ、幼少期は本土とハワイを行き来する生活を送り、やがてシカゴの美術学校を卒業した。デザイナー兼イラストレーターとして成功した後、ハワイ人としてオセアニアに生きる人間の誇りを取り戻すために、この計画を考える。博物館や図書館で資料を読みあさった後に、現在は存在しないダブル・カヌーを彼自身が設計し、再興しようと考えた。

白人ではあるが、この計画の後ろ盾となり、ハワイ人たちの活動を支えたベン・フィニーはサーフィン[*7]の研究で著名となった人類学者である。ハーバード大学人類学部で博士号をとったフィニーはハワイ大学に職を得、伝統的航海術で遠距離航海ができることを示し、さらに彼らが計画的に移住可能であったことを証明したい、そのためには実験航海が必要であると考えていた。

後にポリネシア航海術協会の中心人物となるナイノア・トンプソンは、当時ホノルルの名門小中等学校プナホウ・スクールを卒業し、ハワイでハワイ人の置かれた地位に疑問をもつ若者であり、20代前半からこの活動に身を投じることとなった。

1975年に念願のダブル・カヌーは完成し、ホークーレア号と名付けられた。全長19m弱、横幅5m弱、2本マストで、12〜16名のクルーで航海する。ホークーレアとはハワイの航海者たちが目印とした、牡牛座のひときわ明るく輝くアウクトゥルス星のことである。ハワイ周辺での練習航海を行った後、1976年にタヒチに向けて出帆することとなった。

実は、遠洋航海のダブル・カヌーがハワイで姿を消してから既に200年が経過し、伝統的航海術はさまざまな記録に断片的に見いだすことはできるものの、それ（写真6—3）を用いて航海を行った経験者は皆無であった。彼らは、ミクロネシア、サタワル島の有名航海者のうちマウ・ピアイルグをこの実験航海に招待し、指導を仰ぐこととなった。数々の難関を克服してこの実験航海は見事に成功し、世界をあっといわせることになる（写真6－4）が、航海中船上ではクルーの仲間割れや口論などが頻発し、ピアイルグは怒ってタヒチ―ホノルルの帰還に関わることを拒否して帰ってしまった。行きはすべて伝統的航海術で全うしたが、帰りはそんなわけで機器を用いながらの帰還となったのである。

その後、1978年に再度タヒチ行きを志したが、マウイ沖で暴風雨に遭い、今は航海士となったナイノア・トンプソンは親友のクルーを亡くすという不幸な事件に直面してしまう。猛省したトンプソンはピアイルグの下にでかけ、彼に許しを請い、再び来布を依頼し、彼の指導で航海術を学びなおした。こうしてピアイルグに学んだことに自らの体験を加えて、ナイノア流の航海術を完成することとなった。ナイノア・トンプソンはこの後のホークーレア号の航海では一貫してリーダーシップをとる。

ホークーレア号の活動は、単にハワイ人の伝統的航海術の実践、すなわち先祖の伝統知を学ぶというだけでなく、ポリネシア全体の航海術復興運動に大きく関わるようになる。ハワイ人の間からもクルーをリクルートしているが、各国から研修生を受け入れて、各地の航海術の復興、伝統文化の振興に大きく貢献している。またオセアニア各地を訪問して、ポリネシア人自身が海洋民であることを覚醒し自信を取り戻すことにも大きな貢献を果たしている。

さらに主として海洋汚染に関わる環境運動や平和を目指す国際交流にも一役買い、そのために世界各地を訪れた経験をもつ。その意味では、ポリネシア人の足跡を考える実験航海から、ポリネシア各

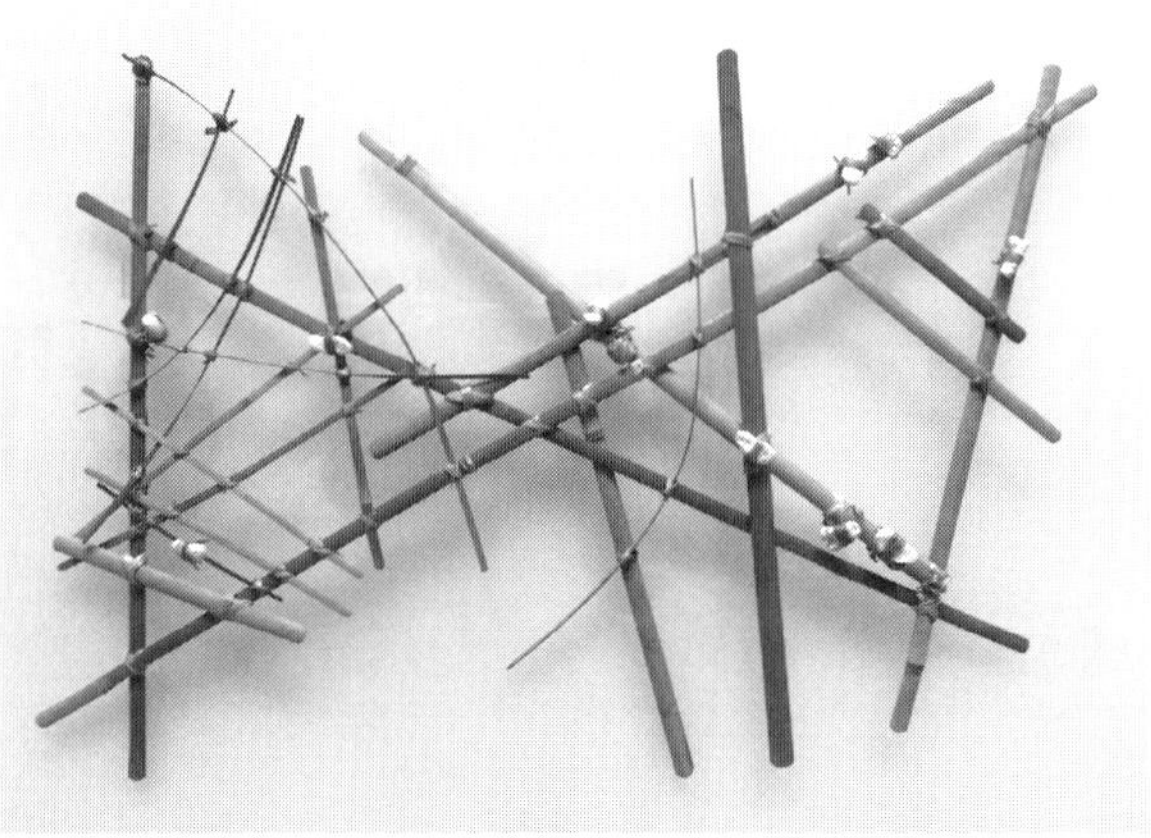

写真 6-3　ミクロネシア・マーシャル諸島で使われていた地図。カリフォルニア大学フィービ・ハースト博物館所蔵。2016 年、Jim Heaphy 撮影。CC BY-SA 3.0

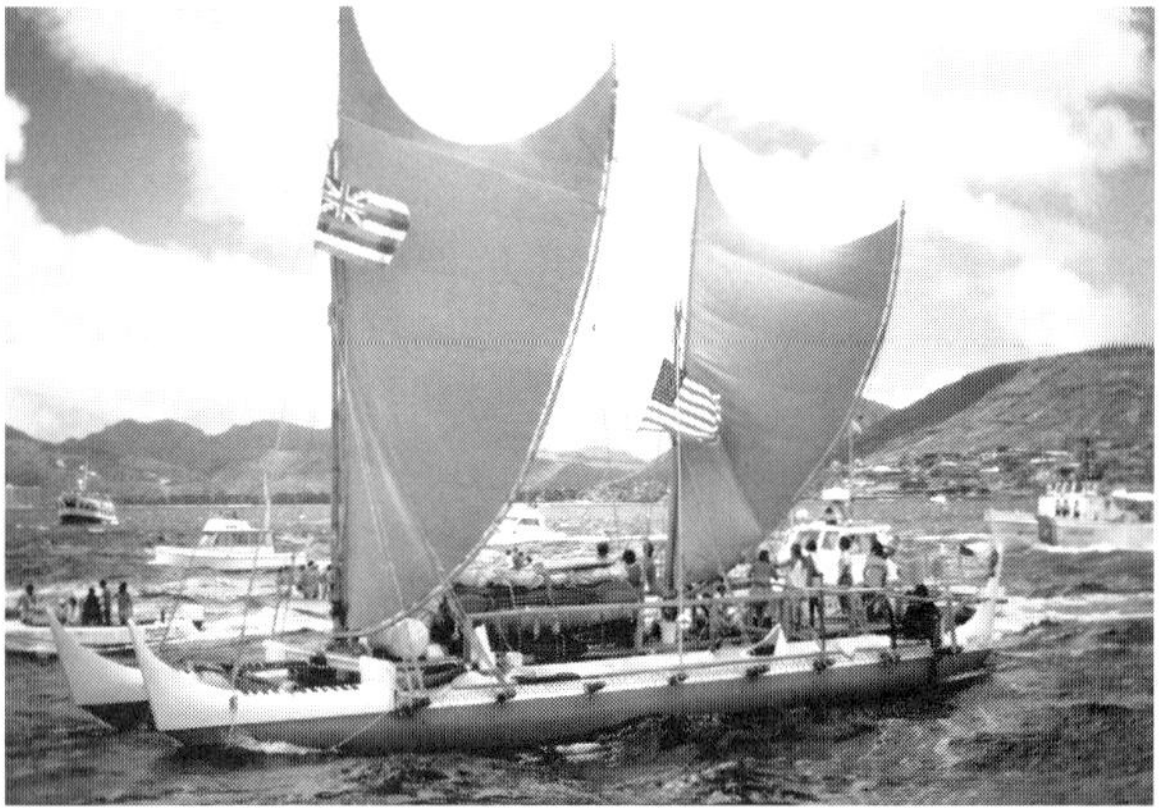

写真 6-4　タヒチからホノルルに帰還のホークーレア号。1976 年。Phil Uhl 撮影。CC BY-SA 3.0

地を訪れてポリネシア人の誇りと叡智を取り戻す役割、そして世界平和をプロモーションする立場に変化していったということができるかもしれない。

ポリネシア航海術協会制作のビデオを是非ご覧いただきたい[*8]（QR6―1）。

後藤明は2007年のホークーレア号日本訪問に際して、訪問都市の行政との中継ぎを行ったり、イベントの企画に関わったりした経験を書いているが[*9]、その活動がいかに広範かを知ることができる。

❖ポリネシア各地の復興カヌー

さて、ホークーレア号はその活動の一環として、1992年の太平洋芸術祭（第1章参照）を訪問している。この年は第6回目の開催で、クック諸島の主島ラロトンガで行われたのであるが、テーマは「遠洋航海文化遺産」で、まことにホークーレア号にふさわしいものであった。クック諸島の住民たちも航海術に関しては大きな関心を寄せており、このテーマに向かって、芸術祭でヴァカ・ページェント（カヌー祭）の開催が検討されることとなった。クック諸島でもページェントをにらみ、遠洋航海に耐えるヴァカ（カヌー）の建造が進んだ。このためには大変な資金が必要で、またカヌー建造の知識や技術も必要である。このあたりは、人類学者の棚橋訓が詳述しており、ニュージーランドに移民した兄弟姉妹に送金してもらったり、富くじを売ったりしながら、大変な犠牲を払ってカヌーを大会に間に合わせるさまがその論文に描かれている[*10]。またカヌー本体について、古い民族学者の記録などを探して図面を見つけるまでの苦労も大変なものだ。全長は、ホークーレア号より大分長くて28m、200人乗船が可能なものであったようだ。

ヴァカ・ページェントには、タヒチ、マーシャル諸島、ハワイ、ニュージーランド、クック諸島からの参加があり、ラロトンガ島の東側のラグーンに停泊し、クック諸島政府の要人や首長らに加えてそれぞれのカヌーのクルーが参加し、厳かな儀式が行われたという。[*11] ハワイから来たというのはホークーレア号であったに違いない。

伝統的ダブル・カヌーの建造の試みは、ホークーレア号に遅れること10年余りで、各地で活性化されていく。クック諸島元首相のトム・デイヴィスは大変熱心で、クック諸島航海術協会の下でテアウオトンガ号を1994年に完成した。1996年に西サモア（現サモア独立国）で開催された太平洋芸術祭を目指してやってきたクック諸島のカヌーは、その場に居合わせた私がトム・デイヴィスの姿を目撃しているから、おそらくテアウオトンガ号であろう。また女性首長が乗船していて、クルーの背におぶさってカヌーを下りた。壮大な歓迎の儀式が行われダンスが演じられた。

そのとき、サモア側では遠洋航海のカヌーをねぎらうかのように、沿岸警備艇と2隻のファウタシ（戦闘用カヌー）が出迎え、湾内に誘導した（写真6―5）。ファウタシ（手前）というのは、40名を超すクルーが1本ずつのオールを使って漕ぎ、漕ぎ方の指揮をとるキャプテンとドラム打ちが乗船している長細いボートである。アウトリガーはついていない。かつては戦闘用に用いられたが、現在そのような用途はない。ボート競技に使うエイトをもっと長くしたようなものだが、クルーは2名が横に並んで座る。40名以上のクルーが心をひとつに合わせて漕ぐ必要がある。サモア各地の村がファウタシを所有していて、若者たちが漕ぎ手となる。サモア独立国では6月の独立記念祭と9月のテウイラ観光フェスティバルにレースが行われ、村同士競い合うのだ。[*12] ファウタシはかつてトンガなどにも遠征したことがあるということだが、とてつもないスピードが出る。ポンポン蒸気で2時間（現在は遊覧船で1時間だが）かかる距離を30分もかからずに着いてしまうという。ちなみに、ニュージーランド・マオリの戦闘用カヌーもアウトリガーがない（写真6―6）。

ファウタシは船大工がいてまだ作られているが、ダブル・カヌーはそうはいかない。1隻建造するにも多大な資金が必要だし、それなりに過去の技術を再現する努力が必要となる。またホークーレア号は、エンジンをもたないが、クック諸島のカヌーはエンジンの装備付きで、外洋に出たらエンジンを使うと聞いた。装備や航海術はともかくとして、船の材料などは全く過去の技術のまま、というわけにはいかない。ホークーレア号にしても、ビデオを見ると太陽光発電の設備を備えているのがわかる。ニュージーランドには、ポリネシアのダブル・カヌーを注文に応じて製作してくれるところがある。

ちなみに、サモアでも航海術協会が存在していて、ガウアロファ号というカヌーを所有している。ドイツに設立されているオケアノス海洋財団という財団がある（QR6―2）。ここは「太平洋諸島の人々の伝統的かつ持続可能な（伝統的航海術による）交通運輸能力を強化することで、彼らの自主独立、文化復興、海洋管理能力を高める手助けをすることを目的とする」[*13]財団である。ニュージーランドでポリネシア式の外洋航海カヌーの製作を行っているのはこの財団であるらしい。化石燃料を使わない（太陽光発電やココナッツオイル燃料はOK）で航海する大小2種類のカヌーとカタマラン（小型二艘船）を製作している。ガウアロファ号は2009年に竣工した大きいタイプで全長22mある。7隻の大型カヌーでニュージーランドを出帆してオセアニア各諸島を巡り、地域のクルーを育成しながらサンフランシスコに到達する、テマナオテモアナ（太平洋の精神）というキャンペーン航海を行った後、2014年

写真 6-5　第 7 回太平洋芸術祭、クック諸島からのダブル・カヌーを、サモアのファウタシが出迎えた。1996 年撮影。

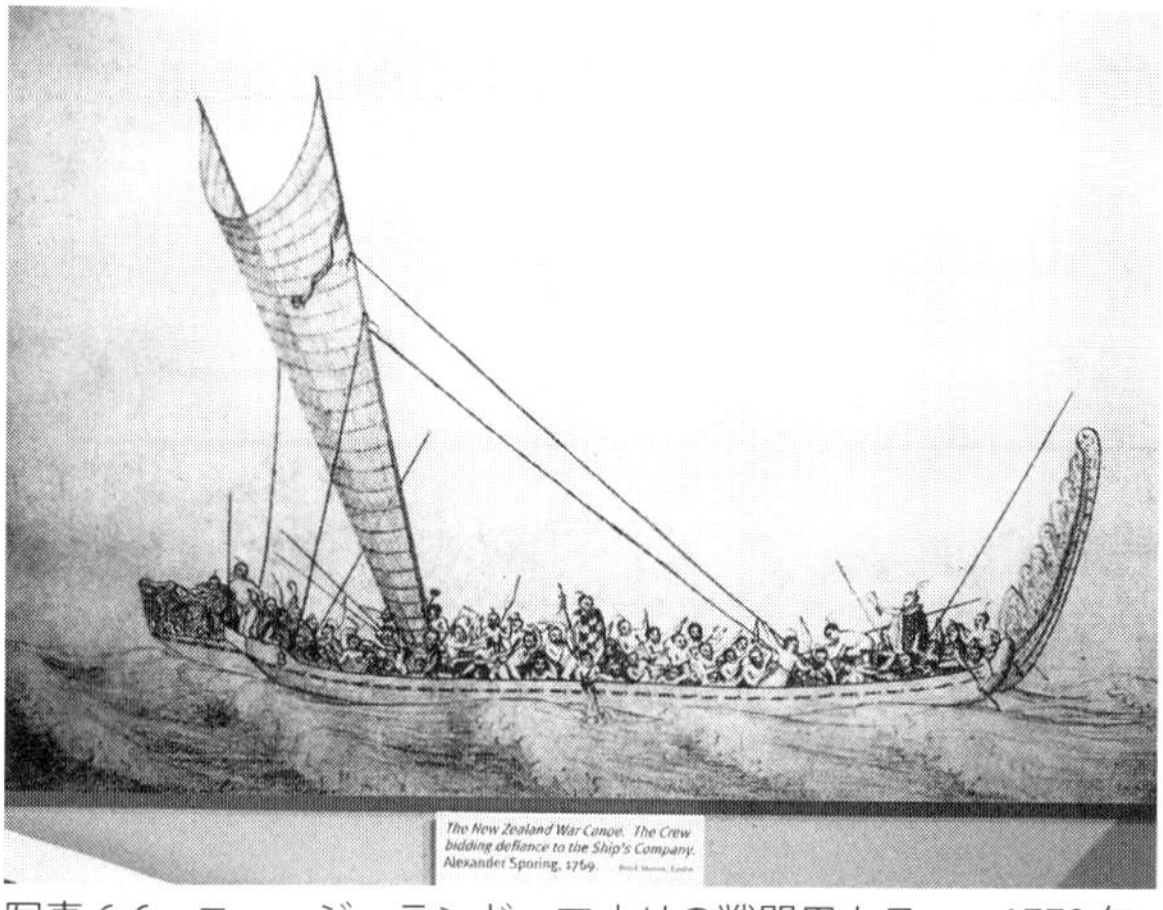

写真 6-6　ニュージーランド・マオリの戦闘用カヌー。1770 年、アレキサンダー・スポリング画。大英博物館蔵。PD

にガウアロファ号はサモア航海術協会に託された。ガウアロファ号は現在もっぱら、サモア各地を訪ねて、海洋環境教育やクルーの訓練などを行っているようである。ちなみに環境教育について、日本のSATO YAMA JMIプロジェクトが助成を行っている。

❖地球温暖化とカヌー

今回のテーマについては、既知のこともあったが、調べていくうちに全く知らなかったオケアノス財団のことも知ることができて、大変な収穫であった。ちなみにオケアノス財団のページには多くの現地スタッフが登場するのであるが、ヴァヌアツやミクロネシアの人々が多いのに驚いた。多人数が乗船可能なダブル・カヌーの再構築は主にポリネシア主導の文化復興運動であったが、現在オセアニア全体の財産として認識され、各諸島がネットワークで結ばれて協力し合っていることは実に喜ばしい。ちなみに外洋航海の大型カヌーは、ニュージーランドに3隻、フィジー、サモア、クック諸島、タヒチ、ハワイに各1隻。島嶼間航海の小型カヌーはパラオ、ヤップ、ポーンペイ、マーシャル、ヴァヌアツに各1隻ずつとなっている。カタマランはタヒチに1隻のみ。

持続可能な開発が提唱され、伝統的知識の見直しや、現地社会の人間開発が課題となる中、このようなプロジェクトはまさに時宜にかなっているといえるのであろうし、学ぶべきところは多い。

＊1：もちろん、海辺近くに暮らしていた人々のことを述べている。とりわけ、ポリネシアにあっては海辺近くに集落が位置するのが普通であるが、メラネシア地域の山中には海と無縁の生活を送る人々もいる。

＊2：例えば、David Lewis (1972) *We, the Navigators, The Ancient Art of Landfinding in the Pacific*. Honolulu: University of Hawai'i

Press.

＊3：「帝国」といっても近代の植民地主義のような面の支配ではなく、ヤップのある村を頂点とした交易ネットワークないしは朝貢システムであったと考える方が自然かもしれない。

＊4：パプアニューギニアの首都ポートモレスビーの海岸部に杭上家屋群が突き出たハヌアバダ村付近のモツ族の慣習で、船を仕立てて北西の方角に土器のつぼや貝の腕輪など携えて海岸線を旅し、サゴデンプンと交換するもの。現在は行われていないが、記念のフェスティバルが行われている。サゴデンプンとは、サゴヤシと呼ばれる樹木の幹をおろして取り出したデンプンのこと。煮て粥状にして食べる。

＊5：マリノフスキーのモノグラフ『西太平洋の遠洋航海者』で知られるようになった交換システム。第5章参照。

＊6：現在は、演習は行われていない。

＊7：ハワイの王族の遊びであったサーフィンは、水泳のオリンピック・メダリストであるハワイ出身のデューク・カハナモクの活動によって、世界に広く知られるようになった。彼を記念する銅像がサーフボードを背にしてワイキキの浜辺に立っている。

＊8：ちなみにこの中に用いられているイラストはハーブ・カネの作品である。

＊9：後藤明（２０１３）「文化遺産を証明する旅――ホクレア号プロジェクト」「ホクレア号日本航海」山本真鳥・山田亨編『ハワイを知るための60章』明石書店。

＊10：棚橋訓（１９９７）「ＭＩＲＡＢ社会における文化の在り処――ポリネシア・クック諸島の文化政策と伝統回帰運動」『民族学研究』61巻4号。

＊11：Jeffrey Sissons (1999) *Nation and Destination: Creating Cook Islands Identity*. Institute of Pacific Studies and the University of the South Pacific Centre in the Cook Islands.

＊12：アメリカ領サモアでも、フラッグデイ（4月17日）にレースが行われている。

＊13：２０１９年末閲覧のオケアノス財団ＨＰ。ちなみに、コロナ禍――ヨーロッパと太平洋とを結ぶ国際的な活動は難しかったに違いない――後の財団の活動は、２０２２年現在、化石燃料不使用の輸送手段としてヨーロッパへの応用に広がりつつある印象を受けた。

QR6-1
『ホークーレア号の歴史』
ポリネシア航海術協会

QR6-2
オケアノス財団オフィシャル・ページ

第7章　日本に建ったサモアの家

２０１９年12月8日に、ファレ・テレ（サモア式家屋の一種、高位首長の家）が完成して竣工式を行うという知らせをもらい、その儀礼のために愛知県犬山市にあるリトルワールドを訪問した。サモア式家屋は、サモアでも公共の建物を除いて最近は減りつつあり、国外ではおそらく旧宗主国であり移民も多いニュージーランドに見られる程度であろう。日本国内でもリトルワールドの他にあるとは聞いたことがない。その建物は35年以上前に建てられたもので、今や老朽化して、屋根は雨水が漏れ、相当痛んでおり、どうなるかと心配していた。リトルワールドの宮里研究員からは相談を受けていたものの、なかなか進んでいなかった。ところが、話が進み出したら、あっという間にスピードアップして3カ月後に家が建ってしまった。老朽化の具合からして、修復というよりはほとんど再建築だったと思われる。本章は、この話を中心に書いてみたい。

❖リトルワールドとサモアの家再築

リトルワールドというのは、犬山にある名鉄関連の観光施設であるが、同時に、世界各地の建物を移築したり、建設したりした野外博物館である。もともと東大の文化人類学教室の故泉靖一教授がコンセプトを提供してできたと思われる。東大名誉教授の大貫良夫氏は、以前ここに研究員として勤めた経験があり、東大定年後はまたここに帰って館長となられている。リトルワールドは名古屋周辺ではちょっときこえた存在であるが、残念ながら東京ではあまり知られていない。

かなり広大な野外博物館で、ヨーロッパ各地の屋敷や農家、バリ島の貴族の家、ネパールの僧院、トルコの街並、トリンギット（北米北西海岸インディアン）の家、台湾、インドネシア等々、23カ国32施設が建ち並んでいる。その広大な園内を歩いてもよし、バスも廻っているので年寄りや小さいお子さんがいる家族もゆったり見学することができる。それぞれの建物は、現地の大工を呼び寄せて建てたり、現地の本物を解体移築しているので、本物志向である。また、民族衣装を着て写真を撮ることもできるし、現地の食べ物を提供するブースやレストランで、食べ歩きもできる。1970年頃に構想ができたが、建物を順次移築して開園するまで15年近くかかり、開園は1983年のことだったという。開園後に建てられたネパールの僧院の内側の壁画は、わざわざネパール人の絵師を呼んできて描いてもらったというもので、実に見事である。

おそらく最初のサモアの家は、当時西サモア（現在のサモア独立国）でビジネスをされていた故大石敏雄氏が仲介したのだろう。35年前のことであるという。

今回、大石氏の会社も若干関与していたかもしれないが、前面に出てきたのは、サモアでティアパパタ・アートセンター（QR7―1）を運営しているスティーヴン・パーシヴァル氏である。彼のアートセンターを設立したときに、サモア式のファレを建てた棟梁がレサー・ラウファレ氏であり、パーシヴァル氏が紹介してレサー氏がその配下の6人の大工を連れて来日することとなった。パーシヴァル氏はリエゾンとして、通訳（サモア語＝英語）を務め一切の仲介役をした。パーシヴァル氏は映像作家でもあり、この間多くの動画を撮影したので、このリトルワールドでのファレ・テレ建設を巡る映像作品を制作する目的もあった。また彼の長男は大阪の会社に勤めており、次男も日本滞在中で、氏は既に日本に何回か来ている知日家である。

❖サモアの伝統家屋ファレ・テレ

サモアの建物[*1]は、世界でも珍しい部類に入るだろう。柱があって屋根はあるが、壁がないのである。サモアの高位首長は、ほぼ円形でちょっとだけ横軸の方が長いファレ・テレという建物を建てるが、これは人が常時いて暮らすというよりは、客間の機能をもつ建物で、首長らが集まって儀礼をしたり、演説をしたり、カヴァという飲み物を飲んだりする。身分のある客人を泊めることもある。

首長の補佐をするツラファレという人々がいる。こちらはファレ・テレを建てることは許されず、ファレ・アフォラウというのを建てる。横長で長軸の両端は丸くなり、平面図は楕円形をしている。いずれの建物も、かつてはサンゴの化石を敷き詰めた基壇の上に建てられたが、最近のサモアではこの基壇を石積みしてからコンクリートで固めて作ることが多い。19世紀半ばにサモアを訪れたアメリカ海軍の探検隊の日誌を見ると、マリエトア（サモアの四大パラマウント首長の一人）の家も他の家と大差ないが、基壇だけは大層高いと書いてある。私が最初に泊めてもらったマノノ島のファレ・テレの基壇は2mぐらいあった。そこで生活していると、まるで舞台の上で演技をしているような感覚だった。リトルワールドのファレ・テレの基壇はそこまでいかないが、1.5m程度だろうか（写真7―1、7―2）。

ファレ・テレの真ん中には大黒柱のような太い丸太がたてに据えられ、これに船のような形をした板が2枚縛り付けられる。ササガと呼ばれる。大黒柱を中心に屋根の端に当たる箇所にぐるりと立てられた柱の上に円錐状の屋根が被るようになる。かつては鉄器がなかったので、ヤシロープでくくりつけて縛った。何本もの木材を組み合わせて曲線を作り、ヤシロープでぐるぐる巻きにしていく。ヤシロープはココヤシの実の外側の繊維をとりだして綯い、三つ編みのようにして編み込んで作ったロープである。サモアの村に行くと、若者が家の外で肉体労働をしている間、老人はおしゃべりしながら、あるいは会議に参加しながらこれを作っていることがある。このロープは大変強く、かつて複数の材木を組み合わせて大きなカヌーを作るときもこのロープで結び合わせた。

屋根は、サトウキビの葉を編み込んで、片方を編みっぱなしにしたものを重ねて作る。日本でももう茅葺き屋根を見ることは稀になってしまったが、それは定期的に屋根葺きをしなおさなくてはならないからである。茅の屋根葺き職人は今では稀少な存在となり、定期的に屋根を葺き直す費用の方が瓦屋根を作るよりずっと高くなってしまった。サトウキビの場合、もつのは約5年といわれている。かつてはトタン屋根はお金を使って作るので、ステイタス・シンボルであったが、現在ではその方が経済的であるという。しかし、昼間は暑いし雨が降ると雨音がうるさいし、ろくなことはない。

写真 7-1　完成したリトルワールドのファレ・テレ。2019 年撮影。

写真 7-2　リトルワールドのファレ・テレ屋根裏。2019 年撮影。

サモアの都市部でもかつてはなかったほどの大きなサモア式の建物が大学やホテルなどに建てられているが、屋根は板葺きとなっていることが多い。リトルワールドのファレ・テレは、5年に1度葺き直すのは無理ということで、最近南の島のリゾートで用いられている、プラスチック材でニッパヤシ風に見えるものが用いられている。遠目にはサモアの伝統的な家と変わらない。

壁がない代わり、暴風雨のときなどに降ろして使う、ヤシの葉で作られたすだれのようなもの（サモア語で「ポラ」）があるが、リトルワールドでは降ろして使うことはあるまいという配慮だろうか、これも飾り程度に上の方に1枚だけ付いている。サモアでもポラが用いられるのは暴風雨のときだけで、夜も普通は降ろさない。ファレ・テレで全部のポラが降ろされているのは、殺人などの深刻な問題を首長たちが話し合う秘密会議のときぐらいで、なかなか見ない風景である。

❖落成式ウム・サーガの式次第

そのようなファレ・テレが完成したときには、ウム・サーガという行事が行われる。*2 サモアの伝統的な建物の建て方では、最初に施工主が棟梁を探し、棟梁に依頼する儀礼から始まる。その後、棟梁は配下の大工を使って材木を探すところから始めるわけだが、工程に応じていくつかの儀礼があり、その都度、施工主は棟梁に、サモアの貴重財であるファイン・マットと食料を贈る。依頼のときにもファイン・マットは欠かせない（第4章参照）。建てている間、棟梁に労賃は払われないが、食事はすべて施工主が用意し、適宜衣料品や交通費なども贈り、生活に支障がないように取りはからわなくてはならない。そして建物が完成すると行われるのが落成式である。

落成式に際して重要なのは、棟梁への謝礼（労賃）の支払いである。かつては棟梁にこれまでの働きに対して、ファイン・マットと食料がふんだんに贈られていた。現在では、ファイン・マットと食料の他に現金が贈られ、現金の重要性は年々高まっているはずであるが、その金額は定額ではない。施工主はもちろんある程度の常識に基づいて支払いをするのであろうが、また今日では定額でないといってもある程度内々で合意が出来ている場合もおおいに考えられるが、額が大きくなればなるほど世間的には施工主の名声が上がるという仕組となっているのである。

しかし、リトルワールドの場合には、支払いは契約という形で銀行振込等で行われるので、小切手を渡す場面とかが大々的に行われるということはなかった。また、ファイン・マットの贈呈もなかった。

ウム・サーガの原義は、聖なるウムである。ウムとは石焼き料理のことだ。地面をくぼませてそこでたき火をして石を焼き、その焼け石の上に食材を乗せて火を通す調理法であり、サモアの伝統料理である。パーシヴァル氏としては是非行いたかったようだが、何しろ寒い中で行われることとなるので、断念せざるを得なかった。結局行われたのは、礼拝とカヴァ儀礼、それにその後のダンスである。

さて、10時半に始まるという教会での儀礼に参加した。リトルワールド内にあるドイツ・バイエルン州の村の中の聖ゲオルグ礼拝堂（カトリック）にて礼拝が行われた。大工の中に、説教の資格をもった人がいたので、彼が式を執り行った。

その後、本部の建物に行き、そこで、パーシヴァル氏はサモアの家屋建築に関するプレゼンを行い、今回のファレ・テレの建築の説明を行った。その後、関係者の昼食会。サモア人との滞日国際結婚カップルがかなり参加していて、その数に驚いた。サモアにいると実に子どもが多くて、教会でも礼拝中に子どもの泣き声やそれをたしなめる大人の声が説教の間絶え間なくきこえる。その雰囲気が、実にサモア的であるのに気付いて、なつかしかった。

1時になるといよいよ落成式の本番となる（写真7―3）。一般の観覧者の目前でカヴァ儀礼[*3]が行われた。家の中の後方にカヴァの器が置かれ、その後ろ側にタウポウ[*4]が座り、その両脇に若い衆が座った。正面には演説するツラファレ、正面の左と右をタラというが、左のタラには棟梁や称号をもつサモア側の人々（中には日本人も含まれる）、右のタラには大貫館長をはじめとするリトルワールド側の人々が座り、私も館長の隣に座った。

カヴァ儀礼は複雑なルールがあるが、略式で行われた。カヴァが整う頃を目指してツラファレが演説を行う。直後にカヴァ杯の呼び出しの甲高い声が入り、館長にヤシの殻で作られた杯が捧げられた（写真7―4）。実は館長はサモアの習慣に通じているわけではないので、最初の杯は棟梁に行き、次に館長はそれをまねして飲むという打ち合わせだったが、サモア的には施工主が主人であるから、館長が最初となったのであろう。飲み方は、杯を傾けて数滴地面に垂らしながらちょっとした感謝の意を伝えて、マヌイア、もしくはソイフアといって飲み、杯を返す。座の面々は、ソイフアに対してはマヌイア、マヌイアに対してはソイフアと唱和する。幸い私が横にいたので、館長は難なく難関を乗り越えた。その繰り返しで、給仕役はタラを往復しカヴァ儀礼は終了した。

その後、建物の横にしつらえた舞台で、飛び入りも出る楽しいサモアン・ダンスが披露された。100人を優に超える観客を集めることができて、まずまずの成果だったといえる。ウムはできなかったが、パニケケといって、サーターアンダーギーのような揚げドーナッツを売る売店も出た。

写真 7-3　ウム・サーガの儀礼とダンスを見る人々。2019 年撮影。

写真 7-4　カヴァ儀礼に参加する人々はやや緊張の面持ち。2019 年撮影。

❖サモアの家と暮らしの哲学

さてサモアの家は、柱はあるが壁がない、と先に述べた。これは気候からいうと無理ないことである。熱帯で大変暑く、南半球なので7月8月は日本よりよほど涼しいが、12月は日陰にいても汗が出るし、2月3月の雨がちの時期もじとじとと暑い。サモアで、壁のない家というのは、それなりに合理的であるなと感じる（写真7―1、7―3）。しかし、オセアニアでも壁のない家というのは聞いたことがない。リトルワールドのファレ・テレの横には、ヤップ（ミクロネシア）の家というのが建っているが、これは高床で、壁のある家である。サモア周囲のフィジー、トンガも竹やヤシの葉などを使った風の通る壁はあるし、壁がない、ということは暑い太平洋諸島でも見たことのない形である。

また、サモアでは近年、洋風建築――ファレ・パーラギと呼ばれる。パーラギとは白人のこと――が増えているが、実際にニュージーランドやアメリカあたりにある普通の建築物ではなく、サモア人が考える洋風である。長方形をしていることもあるが、中は区切られずワンルームになっていたり、本来なら壁のあるべき場所に壁はなく、外と内とを隔てる70㎝くらいの高さの柵があるとか、壁はあってもルーバー窓になっていることが多く、外から中が丸見えの造りである（写真7―5）。別なところで論じたことがある[*5]が、サモア人にはプライバシーを守ろうという考えは存在せず、むしろそれを隠すことはいけないことだと考えているようだ。

先にファレ・テレのすだれ（ポラ）を降ろしているというのは異例のことだと書いたが、ポラを降ろしている場合は、異常事態で秘密会議をしているのか、それとも中にいる人が外に見えてはならないようなことをしているか（隠れておいしいものを独り占めして食べている、など）のどちらかである。普通

写真 7-5　サモアの「白人式建築」。前面は柱だけ、後方は壁があるが、ルーバー窓を多用。2011 年撮影。

に会議をしているときは、誰でもがその会議を外から見ていてかまわない。またそのためには、壁がないことは有益である。まさにガラス張りの会議であり、会議に参加できなくても、傍聴することは可能なのだ。サモアでは儀礼の際にファイン・マットや食料（蒸し焼きにしたブタや缶詰など）、現金などの授受が行われるが、その際、受け手のうちの若者が、贈り手と受け手の名、もらったものを周囲に聞こえるような甲高い大声で叫ぶのである。かつては贈与として受けた現金も人々に見えるように扇のように開いて、「いくらいただきました。ありがとう」と述べていた。現在では封筒に入れていることが多いが、これは移民の間で始まった慣習が次第に広まった。

この社会では、自分が多くもっているものを他人に与える人は歓迎される。逆に人に与えることを惜しむ人は、「ケチ」呼ばわりされるが、これはサモアでは大変な悪評であるのだ。ある人からない人へというモラルはこの社会ではきわめて重要である。だから、もっているものを隠さないということもそれと関連している。

さらに公開の場に貴重品を置いておく、というサモア人の発想は我々と逆である。最初に過ごしたマノノ島の高位首長の家では、誰もが見ることのできるファレ・テレの大黒柱に、バスケットが下がっていて、その中に一家の財布が入っていた。子どもをよろず屋に買い物に行かせるときには、お母さんの命令の下、年長の子がバスケットから財布をとりだし、お使いの子にお金を渡す。しかしそれ以外のときに財布に触れる者はいない。衆人環視であるからこそ、不正はできないのである。

❖オークランド大学のファレ・パシフィカ

ニュージーランド・オークランド市は、今日では最大のポリネシア人人口を抱えた都市だと言われている。ニュージーランドに住むポリネシア移民の人々は約30万人であるが、そのうち20万人はオークランドに住む（2013年）。これらの人々は、パシフィカ（Pasifika）と呼ばれることもあるが、現在ではオークランド総人口の13％を占めている。これにオークランド在住マオリ人（先住民）の10％を加えれば、4人に1人はポリネシア人ということになる。

オークランド大学は、そのようなパシフィカ・コミュニティ向けに、ファレ・パシフィカという施設を2004年に建築した。これは太平洋系の集会所のようなところで、太平洋関係の授業やセミナー、会議などに使用ができる。コミュニティにも解放されているが、多くは学内のイベントに使われている。ファレとはサモア語で家の意味であり、ファレ・パシフィカの建物も楕円形のその平面図

写真 7-6　トンガの家屋の屋根組みに見るララヴァ。トンガでは伝統建築はあまり残っていない。これは富豪の古民家を訪ねた際、撮影したもの。2012 年。

や、周りがほとんどガラス戸となっていて内部がよく見える点は、サモアの建物に模した形状をなしている。屋根は板葺きとなっていて、サモアのオーセンティックなサトウキビの葉で葺いたわけではないが、屋根の丸みは、サモアの建物に近い。その点では、パシフィカの半分を占めるサモア人に敬意を表しているといってもよいかもしれない。

この建物はまた、パシフィック・スタディーズの教室や研究室などの建物と併せた複合施設の一部となっている。さらにこの建物は、太平洋系の異なるエスニック出身の現代アーティストに依頼してアートの装飾を行っているところに特徴がある。入り口近くにはサモア出身のファツ・フェウウの作成した赤い彫刻（写真14―1、237頁）が建っている。ファレの内部は、丸太と丸太をつなぎあわせるトンガの伝統的ララヴァの技術（写真7―6）を学び、自分のアート作品に取り入れている彫刻家のフィリペ・トヒが、異なる色彩のヤシロープで装飾を施している。クック諸島出身のジム・ヴィヴィエアエレは自由を示す鳥の群像を金属で造った。ニウエ出身のジョン・プレは、パシフィック・スタディーズの建物のガラスに絵を描いた。他にもこのプロジェクトに太平洋系だが異なるエスニックのアーティストが参加している。そのようにして成り立っているファレ・パシフィカの成立に際して、ニュージーランドの太平洋系の移民たちの歴史を絡めてオークランド大学の太平洋系教員が語るビデオがある（QR7―2）。80年代のポリネシア人差別を訴えるポリネシアン・パンサーズの抵抗を調査したメラニー・アナエ博士、サモアの人種問題に着目したデイモン・サレサ准教授、英文科で教鞭をとった経験をもち、サモア人を描く小説家のアルバート・ウェント名誉教授。彼らはかつてほとんど太平洋系の学生がいなかった時代に大学で学んだのだが、多くの太平洋系の学生が学ぶ時代となり、彼らがこの建物によって自分たちが感じたような心細さ、場違いな気持ちをもたずに堂々と学べる点を強調する。我々にも誇るべきものが出来た、というわけである。このような建物が、新時代のオセアニアを象徴するものとして建てられたことは大変喜ばしい。

❖現代に生きるサモア式建築

ちょっと残念なのは、サモア国立大学にも立派なファレが日本政府の援助で建てられていたが、老朽化がひどく、既に取り壊されていることだ。構内の別な場所にニュージーランドの援助で新しいファレが完成した。

写真 7-7　レウルモエガ・フォウ高校、新築中のファレ・アフォラウ。2010 年撮影。

写真 7-8　サモア独立国国会議事堂。2010 年撮影。

その他中等学校などでは、大型のファレ・テレやファレ・アフォラウが作られている（写真7―7）。ティアパパタ・アートセンターにもある。国会議事堂はファレ・テレを模した建築となっており、注目できるかもしれない（写真7―8）。周囲がガラス張りで、内部は同時通訳のブースもあり、冷房も効いている。

サモア式の建物が公共の建物として歓迎されるのは、その開放空間と出入りのしやすさにあるだろう。あれ、何やってるのかな？と思った人が、中に入ってみることが容易である。入らないまでも、ああ、やってるやってる、と知ることもできる。もちろん、サモアの伝統文化からすると、誰でも簡単にどこからでも入ってよいわけではないが、それでも壁で閉じた空間とはわけが違う。伝統的なサモアの工法は徐々に用いられなくなってしまうかもしれないが、ヤシロープを使った装飾や屋根の組み方、何より開放空間という考え方は生き延びていくに違いない。

リトルワールドの落成式でも、家の中で行われるカヴァ儀礼を見学していた方々に支障なく見ていただけたのは、開放空間であったからである。

＊1：サモアの伝統的建築法について詳細は次の書籍がおすすめである。Handy, Edward Smith Craighill and Willowdean Chatterson Handy (1924, 1971) *Samoan House Building, Cooking, and Tattooing.* Bishop Museum Bernice P. Bishop Museum bulletin 15.

＊2：伝統的ウム・サーガについては、Te Rangi Hiroa (P.H. Buck) (1930, 1971, 1988) *Samoan Material Culture.* Bernice P. Bishop Museum bulletin 75. に詳しい。

＊3：サモアではアヴァと呼ばれている。コショウ科の木の根を乾かし砕いたものを水にひたして上澄み液を飲む。太平洋各地にあった習慣であるが、現在では限られた地域のみの習慣となっている。サモアやトンガではこれを儀礼に用いる。山本真鳥（２００８）「カヴァ」高田高理編『嗜好品文化を学ぶ人のために』世界思想社。

＊4：サモアの村の王女。タイトルをもった女性で、高位首長の娘役。頭に飾りをまとい、カヴァを作る役を担う。この場合は臨時に在日サモア女性に出演を頼んだのであろう。

＊5：山本真鳥（1999）「壁のない家」佐藤浩司編『すまいはかたる』シリーズ建築人類学――世界のすまいを読む④、学芸出版社。

QR7-1
ティアパパタ・アートセンター・
オフィシャルページ

QR7-2
「オークランド大学ファレ・パシフィカ」
オークランド大学制作

第8章　2本の『モアナ』映画

2017年3月にディズニー制作のアニメ映画『モアナと伝説の海』（原題Moana）が日本でも公開されたが、その1年後の2018年には、もともと1926年に公開されたサモアの伝統的暮らしを描くドキュメンタリー映画『モアナ、南海の歓喜』のデジタル版が日本でも公開され、秋に岩波ホールで上映された。それぞれに客層が違い、前者の圧倒的人気とポピュラーカルチャー的扱いに対して、地味なドキュメンタリー、民族誌映画ということはあるが、興味深い「偶然の一致」でもあり、この章はこれについて書いてみたい。

なお、モアナという語は、大海を意味するポリネシア語である。サモア語でモアナというのは、ocean という訳語が当てられているが、まさに太平洋（Pacific Ocean）そのものである。ラヌは色という意味であり、ラヌモアナはまさに海の色、青のことである。モアナという個人名の人は、私は女性しか知らないが、『モアナ』に出てくるモアナは若い男性主人公で、辞書に男性にも用いられる名として出ている。[*1] 他の言語、ハワイ語やマオリ語でもモアナは大海のことであり、他に広い、大きいといった意味もある。

❖フラハティとドキュメンタリー映画

ロバート・フラハティ（Robert J. Flaherty、1884〜1951）は、最初はトロントで写真家として名をあげた人で、その後映像作家となった。彼が、異文化に興味をもつようになったのは、子どもの頃に父が鉱山師で、アメリカの田舎を移動しながら暮らした経験があったからであるという。彼は、1913年頃から北極圏・ハドソン湾のあたりに住むイヌイト（北方カナダに住むエスキモー）の領域を探検したり、地図を作ったりというプロジェクトに参加して、彼らの生活を動画に撮るということを始めた。彼は1914年にフランシスと結婚し、彼女もまた、ストーリーを書いたり、カメラを動かしたり、フラハティの作品を売り込むなど、多角的な活動を行ってくれたので、彼女なくしてフラハティの名声はなかったともいわれている。フラハティの最初のドキュメンタリー作品は『極北のナヌーク』（1922）という厳しい自然と闘うイヌイトの男性ナヌークとその家族を描くもので、興業的にも大変成功し、フラハティを一躍有名にした。

その後フラハティは、ドイツからニュージーランドに統治が移ったばかりの西サモア（ブリティッシュ・サモア）、サヴァイイ島北岸のサフネ村に家族で住み着き、サモア人の暮らしをつぶさに観察してから、『モアナ、南海の歓喜』（1926）（QR8─1）を撮影した。

彼らの滞在は1年半にも及んだ。彼らはまさにフィールドワーク（参与観察）を行ったのである。当時一般の人々がイヌイトやサモア人の生活を見ることは無理で、そのような意味で、人々はちょうど

18世紀のキャプテン・クック航海記を読むような感覚で、彼の珍しい体験を描く映画を見たのであろう。こうした手法の映画はこれまでなかったので、彼は最初にドキュメンタリー映画を制作した人と呼ばれ、このジャンルの開拓者となった。この作品の後、フラハティは何本も作品を仕上げたが、中でも、アイルランドに近いアラン諸島の住民を描く『アラン諸島の人』(1934)や『ルイジアナ・ストーリー』(1948)などがよく知られている。

❖『モアナ、南海の歓喜』とフラハティ

『ナヌーク』(QR8―2)もそうであったが、『モアナ』は無声映画で、白黒フィルムが用いられている。ごく簡単な場面の説明として文字画面が入り、その後に簡単なストーリーが展開する。フラハティ夫妻の没後、一家がサモアに住んでいたとき3歳くらいだった娘のモニカが、サモアに行って、画面にマッチした自然音や歌い声(伴奏なしのハーモニーやチャント)、簡単な会話などの音源を採録して、編集を行った。この作業が完成したのが1980年で、半世紀の後にトーキーとなったのである。さらに、2014年にデジクル版が完成した。『ナヌーク』も音声を付加した版ができている。

日本では、グループ現代という総合映像制作会社が、このデジタル版の配給を行い、2018年に日本各地で上映が行われた。東京では岩波ホールで上映されている。ただ、残念なことに一部の民族誌映画の愛好者を除いて、それほど観客は多くなかったようである。

以下、私の私見を交えて多少映画評のようなものを書いてみたい。

ドキュメンタリーといっても、事実を重視した今日の作品と同じではなく、現地の生活の中から台

本を書き、その場面を演じてもらうということをしているらしい。主人公のモアナ役の男性はなかなかイケメンである。またその婚約者も可憐なかわいらしい女性である。ストーリーとしては、大家族のごく普通の日常生活がその長男であるモアナを中心に描かれ、それはモアナが一人前の男性となるためにタトゥー（入墨）を施してもらい、婚約者のファアンガセと結婚するというクライマックスに至る前提となっている。

サヴァイイ島は現在でもサモア全体の中では「田舎」として人々は認識している。バス網が発達し、自家用車やピックアップ・トラックが島の環状道路を走る現代とは比べものにならないくらい、人々の生活は自然に依存したものであったに違いない。映画で描かれているのは、そんなサモアののんびりした田舎暮らしであり、ノブタやヤシガニを採取したり、イモを引き抜いて、山の畑から帰ってくる場面が描かれる。男は肩に棒を担ぎ、その前後にタロイモや青バナナの入ったカゴをぶら下げ、女はバナナの葉を何枚も重ねて背中に背負う。モアナの母は、樹皮布《シアポ》を作るためのクワノキの枝を背負う。男の持ち方はアモ、女の持ち方はファファという。ジェンダーによりものの持ち方が異なる。

モアナの弟のペアは、お兄さんの指示で高いヤシの木に登り、ココヤシの実を上から落とす。若者たちは、アウトリガー・カヌー（第6章参照）に乗って、銛で魚を突くとあっという間に何尾も魚が捕れる。ウミガメも捕まえる。これらは、現代は多少道具が発達したとはいえ、それほど変わらないサモアの暮らしである。白黒ではあるが豊かな自然を感じる描写が続く。母が樹皮を叩き延ばして樹皮布を作る場面や、モアナが婚約者とダンスをする場面もある。しかし、もっとも盛り上がるのは、モアナがタトゥーを施してもらうところ、そしてその後に婚礼の儀式が整えられるところであり、そこにクライマックスがある。

このフィルムで描かれているのは、自然と共生する人々の話であり、よくいえば「田舎の素朴な暮らし」である。ときには厳しい自然の洗礼を受けながら、何とか環境と折り合いをつけつつ生きている辺境の人々の人生である。その意味で、フラハティの未開民族・伝統社会の描き方は、『モアナ』にあっても『ナヌーク』や『アラン諸島』と同じく一貫しているように思える。

現代のドキュメンタリーは、若干作為がこもると、ともすれば「やらせ」であるという批判を受けるが、その意味では、フラハティ作品にはかなりの「やらせ」があるように思える。まず、出てくる人がすべて、樹皮布をまとっており、モアナの婚約者ファアンガセは、腰巻き状にまとい、胸を露出している。しかしキリスト教の布教がほぼ完了したこの時代には、胸を露出することは、特別なダンスのときくらいしかなかったはずであり、また樹皮布はそろそろ日常着ではなくなっていたと思われる。その他の女性は樹皮布の真ん中に穴をあけてそこから首を通す貫頭衣のようなものを着ているが、これも私の知るサモアでは見たことがなかった。

さらにモアナの婚約者が出てきて、一緒に畑で作物を収穫したり、夜家でダンスをしたりしている場面がある。彼女はタウポウ（村の王女）であるとも説明されている。しかしタウポウは原則として遠い村の高位首長である老人かその息子に（政略結婚的に）嫁ぐのが常識で、同じ村の幼なじみのような青年と結婚したりしない。またたとえ婚約者がいても、結婚前に男性と親しくダンスをするということは、現代アピア市ならいざ知らず、100年近く前の村の文化としては考えられないことなので、ここも変だという気がする。

この映画を見ると、見たままを描くといっても、結局選択的にしか描けないのだなあとつくづく思う。人間が何かを描写するとき、監視カメラのようにすべて記録するのではなく、自分の目、そして自分の認識を通して脈絡をつけて描くしかない。ありのまますべてを描くのではない。そこには当然取捨選択がある。私が描くドキュメンタリーであれば、サモア社会の権力関係、儀礼的側面や首長の演説している姿など描くと思うが、それはまたサモア社会の一部分を解釈するに過ぎないのだろう。

しかしながら、生き生きした表情、また自然を描く映像は珠玉のでき映えである。

❖ディズニー映画『モアナと伝説の海』

女性活躍の時代にマッチしたヒロインの冒険譚は、『アナと雪の女王』などと同様ディズニー映画のひとつのパターンとなっている。ウォルト・ディズニー・アニメーション・スタジオが制作した『モアナ』（QR8−3）は、コンピュータで制作したアニメ映画で、スタジオの56番目の作品である。

この物語は端的にいえば、少女が数々の障害を乗り越えて、自分たちの島の人々を救う話である。ポリネシアのどこかの島（モツヌイという名があるが、これは「大きい島」の意）の話。豊かな熱帯の島であったのに、どういうわけか作物の不作が続く。言い伝えでは、半神半人のマウイが、1000年前に世界を創造した女神テフィチの心臓を盗んだが、多くの魔物たちがそれを狙っていて、マウイは襲われた結果、彼の魔法の武器である釣り針と共にその心臓を深海に落としてしまった。それが原因で人々の苦難が始まったという。厳しい苦難に耐えるのが苦しくなったところで、島の首長の娘であるお嬢様育ちのモアナが、解決のために一人で冒険に出かける。臨終の祖母に託されたテフィチの心臓を持って、隠し場所にあった小型カヌーに乗り大海へとこぎ出すのである。途中で、ちょっとコミカルでドジなマウイに出会って、二人でさまざまな冒険を重ね、テフィチに心臓を返す旅に出る。最初は心許ない航海であったが、マウイの指導の下でモアナは立派にカヌーをあやつる航海者となる。様々な怪物に出会うが、その度に何とか苦難を脱する。心折れそうなとき、祖母の霊が訪れるという経験もする。最後に出会った最も大きな障害はテカーという火山の怪物である。しかしモアナはテカーが、心臓を失ったテフィチであることを見抜き、テカーの胸に大きな翡翠《ひすい》のような心臓を返すと、テカーの火山のような肌は崩れ落ち、テフィチがそこにいた。

監督やプロデューサーはおそらくディズニーのアニメ作品をずっと制作してきた人々であるだろうが、このプロジェクトはかなりの時間をかけて、ポリネシアについて学び、審美眼を磨いていって作り上げたのだろう。モツヌイという島は架空の島であるが、ポリネシアのどこと明確にわかるような服装やタトゥーの絵柄を避け、ポリネシアのどこでもありどこでもない場所を作り出すことに成功した。その結果、作品は多くのポリネシア人が、自分たちのストーリーであると感じることができる。

配役等には相当配慮して、ポリネシア人であるがグローバルな活躍をしている人を招いた。主役のモアナの声を務めたアウリイ・クラバーリョという少女は、ハワイで開催されたオーディションで選ばれた。ハワイ系であると同時に他のエスニックの血も引く、ハワイ的にいえば虹の子（レインボウ・キッド）である。マウイの声を担当したのは、ザ・ロックの愛称で親しまれるドウェイン・ジョンソン。彼の母方の祖父は、サモア人のプロレスラーとしてアメリカに渡ったはしりであった。その娘はアフリカ系アメリカ人のプロレスラーと結婚し、生まれたのがドウェインである。彼自身もプロレスを体験し、その後に映画俳優となった。でかい筋肉質の体に施したタトゥーが売りのマッチョな俳優だ。今でも彼がたまにサモアを訪問すると新聞の一面にでかでかと出るほど、サモアでは大物扱いである。その他、ニュージーランドで俳優をしているサモア系のオスカー・カイトリー、ハワイ系のニコル・シュレジンガー、ニュージーランドのマオリ系俳優・女優など。

音楽は、ニュージーランドでテヴァカというポリネシア系バンドを率いるオペタイア・フォアイが制作に参加し、テヴァカが歌う箇所もある（QR8―4）。フォアイは、トケラウ出身の父とツバル出身の母の間に生まれ、サモアで育ち、後にニュージーランドに移民した。彼の制作する楽曲は、サモア語のものもトケラウ語のものもあり、彼のバンドはポリネシア各地から来たメンバーが参加している、ポリネシア系マルチエスニック・バンドである。リンクの楽曲の中にも、複数のポリネシア系言語が用いられている。また、第6章に登場した、ポリネシア航海術協会のナイノア・トンプソンにも航海術を描く場面で指導を仰いでおり、その旨記載がある。モアナは夜の星を頼りに航海し、ロープを結び、波や星を観察する。左手の親指と人差し指で直角を作ってそこから星を見たりする仕草は、まさにポリネシア航海術である。

ストーリーにもポリネシア各地の習慣を知るコンサルタントを雇ってチェックをしている。ちなみに、サモア国立大学で教員をしているディオンヌ・フォノティー氏は、この映画制作のコンサルタントの一人だったという。

❖ディズニー『モアナ』の評判

『モアナ』は2016年に完成し、アメリカでは11月に公開された。日本での公開は翌年3月であった。日本での評判はいまいちであったという印象を受けていたが、51・6億円を稼ぎ出し、ディズニー・アニメとしては歴代11位であったというからまんざらでもない。アメリカだけで2・5億ドル、世界中では約7億ドルを稼いだ。たいしたものである。

ただし、2017年3月にニュージーランドを訪れたときは、サモア移民の家庭で、さまざまなモアナ・グッズ（モアナや動物のフィギュア、絵柄のついたバックパック、スマホ・ケース等）が子どもの間で大層人気だったのだと聞いたが、日本ではそのような評判は聞かなかった。関連グッズでの儲けはたいしたことなかったかもしれない。ニュージーランドはマオリを含めると相当ポリネシア系の人々がいるので、そういう親は子どもに買い与える可能性があっただろう。そうなれば、「○○ちゃんが持っているから、私も」という話になる。ポリネシア的だが、どこでもない島、というのは、ポリネシア系の人々の歓心を買うためには重要な手段だったかもしれない。

しかし、日本人で映画を鑑賞した人々にとって、『モアナ』はどのように見られたのだろうか。一応ディズニー作品だから間違いはないと思って見にいった、という人が多いのではなかろうか。しかし、『モアナ』が単なるおとぎ話としてだけ受け止められたのであれば、残念なことだ。そのような人々に、ポリネシア人の航海術や、人々の海への思い入れは印象に残っただろうか。ナイノア・トンプソンはじめとするポリネシア航海術協会の人々が普及させようとしている化石燃料のいらない船というのは、これから脱CO_2社会という目標に向かって世界が動いていくとしたら、重要な提案である。

一方、アカデミックな分野では、『モアナ』批判の方が勢力としては強かったように思える。またアメリカの大企業が儲けている。しかも弱小民族のポリネシア人をネタにしているから、たちが悪い。搾取だ。マウイや、モアナの父親のでっぷり太った姿はどうだ。いかにも肥満のポリネシア人が典型として描かれているのは、ステレオタイプでけしからん。マウイもちょっと頭の弱そうな力持ちだけれど、ポリネシア人はそう見られているのだろうか、等々。

マウイはもともとトリックスターなのだから、どこか抜けていて愛嬌のある存在でおかしくはない。いろいろな失敗を繰り返しているが、それが世のため人のためとなってしまう、愛される存在である。釣り針が底がかりをしているうちに島を釣ってしまったり、[*2] 火山の女神をだましているうちに、火をおこす技術を獲得してしまったり、である。マウイは子どもたちにも愛される存在だった。

ウィキペディアの英語版によれば、『モアナ』は、ニュージーランド人のタイカ・ワイチチ氏（映画制作者兼俳優）が最初に構想したが、彼は個人的理由でこのプロジェクトから脱落し、その結果最初の構想とはかけ離れたものになったという。もとはマオリ神話の「どのようにして死が始まったか」というストーリーに基づき、冥界の女王となったヒネ・ヌイ・テポー（夜の偉大なヒネ）の陰部から口まで体内を駆け抜けようとしたマウイが、寝ていたヒネが気付いて体に力を入れたため、胎内から出られなくなった、という神話に取材して、テポーという化物のキャラクターを作っていたが、結局テカーという火山の化物になってしまったそうだ。[*3]

私自身はこの作品について、欠点もあるだろうが、長所はそれに優《まさ》っていると考えている。おとぎ話ではあるが、ポリネシア文化に十分取材を重ね、それなりにしっかりした作りとなり、ポリネシア人すらも魅了する力量はたいしたものだ。カヌーの動きとか、動植物も丁寧に描かれている。

かつて教育関係の某社が、ハワイを舞台にした映画を作りたいので台本を見て欲しいとアプローチしてきたことがあった。いくつかアドバイスや忠告をしたが、ほとんど取り入れられることがなかった。後から考えれば、多分一応専門家に見てもらったというお墨付きが欲しかっただけなのだろうと思う。ハワイに持って行って見せるということを考えないから、多少嘘があってもかまわないということになるのだ。そのような意味で、ディズニーともなれば、世界中の人が見ることになるから、ポリネシア人が見ても、ポリネシア研究者が見ても大丈夫なようにと万全の体制を計っている。グローバルな視点をもって制作していることには敬意を払いたいと思う。

❖モアナの人々

近年、パシフィックというのは、ポリネシア系の人々の間では、ヨーロッパ人が勝手につけた名前だということで評判があまりよくなく、また、それに代わって用いられていたオセアニアも、大海を連想する名前であるけれども、結局は外来語だからというので、ニュージーランドでは「モアナ」という語を太平洋系の人々を指す名として用いられるようになってきた。『タンガタ・オレ・モアナ（モアナの人々）』[*4]という本は、ニュージーランドと太平洋諸島との交流の歴史を描いた本である。ここにモアナという語が使われている。また、新型コロナの流行もあり、スーパー・ラグビーがスーパー・ラグビー・パシフィックとして再編され、新たにオセアニア地域の一角として、モアナ・パシフィカというチームが加わった（本拠地オークランド）。サモア、トンガ、フィジー、クック諸島ゆかりの選手で構成されている。

　モアナという名は日本でいえば、海《かい》、大海《おおみ》、洋《ひろし》といった名前に相当するだろうか。全く違う構成ではあるが、『モアナ』というタイトルの映画2作品が、日本でもあいついで公開された。これはまことに喜ばしいことである。この章は、モアナということばの深い意味を伝えたいという意図も込めて書いた。

＊1：G.B. Milner, *Samoan Dictionary: Samoan-English, English-Samoan*. Oxford UP. 1966.
＊2：マウイが釣りをしているうちに海の底に釣針がかかり、海の底が持ち上がって島ができた、つまりマウイが島を釣ってしまったという神話語りは、ハワイにもニュージーランドにも存在している。ニュージーランドの北島はマオリ語でテ・イカ・ア・マウイと呼ばれるが、これは「マウイの魚」という意味である。
＊3：https://en.wikipedia.org/wiki/Moana_(2016_film)
＊4：Sean Mallon, Kolokesa Mahina-Tuai and Damon Salesa eds. *Tangata o le Moana: New Zealand and the People of the Pacific*. Te Papa Press, 2012.

QR8-1
『モアナ　南海の歓喜』予告編

QR8-2
『極北のナヌーク』予告編

QR8-3
映画『モアナと伝説の海』日本版予告編

QR8-4
リンマヌエル・ミランダ、オペタイア・フォアイ
「もっと遠くへ」(『モアナ』より)

第9章　『ファミリーツリー』とハワイの土地

土地制度は社会の根幹をなす。ヨーロッパ人が初めて訪れたとき、ハワイは島ごとに王と王族、首長、平民（および若干の奴隷）に分かれた階層社会をなし、島対島の勢力争いが随時生じている状況であった。封建的な土地制度がこの社会の基盤で、王は島をいくつもの地区に区切り、配下の首長にそのマネジメントを任せ、平民は首長からあずかる土地を耕作し貢納していた。19世紀中葉に欧米人の入植者が増え、サトウキビ産業が盛んになるにつけ、それまでの重層的な土地制度は変革を迫られ、19世紀初頭に諸島の統一を成し遂げたカメハメハ王朝は、やがて立憲君主制を打ち立てると共に土地の私有制に大きく舵を切る。しかし土地が売買されるようになると、それは多く欧米人に所有されたり、その管理下に置かれたりするようになった。この経験はニュージーランドでも同様である。

この間、王朝の弱体化の後に1893年の王朝の転覆、1898年の合衆国への併合、と推移していく。現在のハワイ州は、当然のように合衆国憲法にのっとった私有の権利を尊重する社会であるが、一方で、ハワイの土地の半分以上が公有地であり、その他十指に入る所有者および法人を併せると土地全体の4分の3が所有されており、[*1]大変な寡占となっていることはハワイの土地問題の特徴である。

本章は、これを社会問題としてではなく、日本では2012年に公開され、同年アカデミー賞やゴールデングローブ賞を受賞した『ファミリーツリー』にこと寄せて考えてみたい。

❖映画『ファミリーツリー』

『ファミリーツリー』は日本語の題名で、原題は *The Descendants* という。ハワイの女性作家原作小説[*2]の、アレキサンダー・ペイン監督によるかなり原作に忠実な映画化である。現在でも外国人観光客の最大グループは日本人で、ハワイ・ファンは実に多いが、ハワイ社会の深層から *The Descendants* というタイトルの意味が理解できた日本人は少ないのではなかろうか。主人公は、ジョージ・クルーニー[*3]演じるところのマット・キング、ホノルルにオフィスを構える不動産取引を得意とする弁護士である（QR9―1）。

彼は妻が水上スキーの事故で昏睡状態となり、日常生活がかき乱されている。妻に任せきりだった2人の娘（高校生と小学生）の面倒を見ることが必要だし、妻の容態は先が見えない。仕事人間だった自分について反省しきりである。妻の容態はやがて植物状態を脱することはできないと主治医に告げられ、彼女が生前用意していた契約書に従って、生命維持装置を外すことが必要となる。マットは親族や友人を自宅のパーティに招待し、意識のない妻に最後の別れをして欲しいと告げる。一方長女は、母親が浮気をしていたとマットに告げる。彼はあまりに忙しくてそういう事態になったと悔やみつつも、妻の裏切りを完全に許すことはできない。

このストーリーの大きな背景となるのは、マットのアイデンティティに関わる親族の土地問題である。マットの高祖母（曽祖父母の母、原作では曽祖母）はカメハメハ1世の直系子孫で、広大な土地を所有したまま宣教師の子で実業家の高祖父と結婚し、その土地は子孫に信託財産として残された。子孫たちはときに応じて土地を売り、分配金で優雅に暮らしてきた。マットはその土地の受託者（trustee）として、7年後に閉じなければいけない信託の財産を最終的にどうするべきかという、親族一同の命運を決める必要がある。その土地というのはカウアイ島にある2万5000エーカー、一部牧場として使われているが、素晴らしいビーチに恵まれた更地である。観光目的とした複数の開発業者から購入の希望が来ており、どの業者に売却するかを決めなくてはならない。シカゴの大きなディベロッパーの言い値が一番高いが、信託財産の恩恵に預かるべき親族たちの多くは、それよりは安いけれども地元の業者に売る意向である。だが売却に反対している親族もいる。

親族は集まって投票し、マットはそれに従って最終決断をすることになっていた。予想通り地元業者が多数の票を得る。しかし、最後の最後になってマットは、サインできない、これはたまたま我々の一族に権利が与えられているけれど、これを売ってしまったら我々の家族の絆は失われてしまう、という。我々はハワイ人に見えないし、ハオレ[*4]のようにふるまったり、私立の学校やクラブに行ったりするし、ピジン[*5]は得意じゃない。でもハワイ人なんだ。「ハワイのこの土地を所有していることは奇跡だ。なぜ、ハオレにかっさらわれなくてはならないんだ」。一方で彼は、妻エリザベスが大金を得ることを楽しみにしていたこと、また彼女が浮気していた相手が不動産業者で、購入希望の地元業者に売れば確実に彼が儲かるのでそれを嫌ってもいる。確たる理由は不明のままだ。

しかし、彼はともかくも去りゆく妻を娘と共に気丈に見送り、娘たちとの絆を取り戻し、何とかやっていけそうだ。ダイヤモンドヘッドを背景に、３人でカヌーを漕いで人気のないところまで行き、散骨をする。娘たちが1すくいずつ骨灰を海に入れた後、彼は豪快に容器を逆さにして、「これでおしまい」という。最後は、ソファに３人で座り、１枚の毛布をシェアし、２つのボウルに入ったシリアルを分け合って食べながら、テレビを見ている場面で終わる。

❖信託制度とハワイの土地

信託という制度は、英米法では重要なものとなっている。日本でこの制度と関わり最近脚光を浴びているのは成年後見人制度であろう。今後、認知症になる前に誰かに家などの管理を任せるための家族信託も普及するかもしれないが、こちらはまだまだ知られてはいない。

それ以外には、信託基金として公益的な利用に使われているものがある。私の関わる澁澤民族学振興基金は、財団法人民族学振興会の改組に伴い成立したのであるが、振興会の不動産をすべて処分し、預金と併せ信託基金とした。委託者にはもともと振興会を作った澁澤家の方にお願いし、受託者（実際の管理運営者）は信託銀行（現在は三菱ＵＦＪ信託銀行）である。私は銀行がさらに設けている運営委員会のメンバーを務めている。銀行はこの預金を運用して財産を殖やし、それを利用して民族学振興のために、授賞や研究費授与などの事業を行う。もちろん契約によって銀行は手数料を得るが、運営委員はボランティアである。残念ながら現在の金融環境では運用収入は増えず、原資を使って事業を行わざるを得ないのが残念であるが……

このような信託は、公益信託といって、実際の果実を得るのは、受賞者や研究費等を得る人々である。しかし親族内で信託がなされる私的信託のときは、果実を得るのは本人も含めた親族である。日本では空き家問題が深刻であるし、家族信託は家の所有者が認知症になったときを想定しているようで[*6]、財産管理を自分でできない人の暮らしが第一だから、必ずしも子孫が恩恵を得るとは限らないようだが、ハワイの信託というのは、大土地所有の場合が目立っており、委託者の死後、子孫が財産の運用益に預かったり、分配したりする話だ。マットの場合は、高祖母が先祖から相続した2万5000エーカーの土地資産をさらに彼ら子孫がどう分けるか、である。空き家1軒の始末に困っている、という話ではない。大きな会社に成長した創業者一族が、会社をどうするか、という話に似ている。

ここでキーポイントとなるのは、公益信託は財産のある限り永続するが、私的信託は年限を決めるものとされ、合衆国では最長で100年となっている。確かにだんだん代替わりとなり子孫が増えていくと、その間で意思統一を図るのも難しく、訴訟やもめごとの種になる。だから、マットの関わる信託財産も7年後に解散という予定になっているわけだ。そのとき、財産は土地であるから、20人程度の受益者（マットとそのいとこたち）が土地を区分して相続するという手もあるが、それでは土地の価値はぐっと下がるし、場所によって価値は異なるから、無価値な土地をもらう人も出てくる。仲間内でもめること必定である。牧場にしていたということは、農業にも適さない土地だったのであろう。観光開発ということが始まって、はじめて価値が上がった。

ハワイ大学法科大学院教授のランドール・ロスは「ファミリーツリーを脱構築する」[*7]という論文の中で、実際に映画で撮影した土地はカウアイ島のキプカイでウォーターハウス・エステートの一部

写真 9-1　ルース・ケエリコーラニ姫。1877 年、メンジーズ・ディクソン撮影。PD

であるとしている。確かにこの土地はハワイの王族やカマアイナ[*8]のからんだ土地である。もともとは王族のルース・ケエリコーラニ姫（カメハメハの直系の孫）（写真9―1）が相続したが、そのあたりの土地をまとめてカウアイ島知事だったウィリアム・H・ライスとグローヴ農場オーナーのジョージ・N・ウィルコックスに売り[*9]、前者はキプとキプカイをとり、後者はハイクをとった。キプカイは最後にライスの親戚の1人、ジャック・ウォーターハウス[*10]の手に落ちた。それまで粗放な牧場となっていた土地を本格的な牧場として成り立たせたのは彼の力だった。独身だったウォーターハウスは、自分の死後これを信託財産として、牧場の利潤を甥と姪が生きている間は彼らのものとし、彼らの死後はハワイ州に寄贈するとした。つまり、自然保護、祖先から付託された自然をそのままとっておくというマットの願望は、現実世界では既に実現が予告されていたというわけだ[*11]。

後述するようにハワイの経済開発はもっぱらサトウキビ産業――また後にはパイナップル産業もこれに加わる――によるものだったが、それがプランテーションという形態をとる結果、大規模な農地開発が行われた。さらに高地の方は牧場としての開発も行われたが、こちらも大規模土地利用である。したがって、このような土地利用の仕方から大土地所有が目立ち、主に19世紀からハワイに住みハワイを開発してきたカマアイナでハオレの話となる。

ロス教授は、ハワイのいくつかの信託財産の行方の例を挙げてくれている。デイモン・エステートの委託者は、マットの高祖父のように銀行家だった。ケエリコーラニ姫の相続人でイトコのバーニス・パウアヒ姫の夫チャールズ・R・ビショップのビジネス・パートナーだったために、パウアヒ姫からホノルルのすぐ西側の土地を贈与され、さらに銀行の株券や買い足した土地があった。特にパウアヒ姫からもらった区画は、ホノルルに隣接していたがゆえに都市化と共に価値がうなぎ登りに上がった。現在ビジネスビルや商業施設、空港などが上物となっている。最終的にいくつもの裁判を経て、現金化の後に親族間で分配したが、その際一部を公共土地機構に売り、現在公園となっている。

クヌッセン・エステートの2つのうちの1つの信託は、受託者が解散期限の際に土地を区画割りにして分配した。しばらくして、受益者が受託者を裁判で訴えた。別な方法であれば得るはずであった利潤を減じたということである。『ファミリーツリー』でマットが恐れていたのはこのような結果だろう。

キャンベル・エステートの委託者は、エステートの経営方針をできるだけ変えないようにして欲しいという意志を残していたにもかかわらず、受託者が結構派手に投資を行ったために受益者から苦情が出た。この信託の解散時にはデイモン方式か、クヌッセン方式か、と話題を呼んだが、結局、一部の受益者には現金で分配し、その他受益者は合同会社を作り、その利潤を分配する方式をとった。会社は合衆国12州にまたがり不動産業を営む。また一部森林を安価で公共土地公社に売却した。現在公園としての開園を控えている。信託解散後、会社経営に移行するケースは結構ある。

❖グレートマヘレと土地の私有

ハワイは1778年にキャプテン・クックがヨーロッパ人としては初めてここを訪れ、西欧との濃密な接触が始まる。やがてカメハメハが勢力を伸ばし、全諸島を支配するようになり、カメハメハ王朝を築いた。カメハメハの成功は、さまざまな理由でハワイに居残った欧米人の力を借り、火器などを使いこなし、新しい戦術を身につけたためといわれている。カメハメハは多くの欧米人アドバイザーを優遇した。彼らの中にはハワイの王族から妻を迎える者もいた。後にカメハメハ4世の妻となるエマ・ナエアは、アドバイザーの1人ジョン・ヤングの孫娘である。

カメハメハ大王（1世）は1819年にこの世を去り、20年にボストンからやってきた宣教師らが布教を始める。宣教師は、もちろんキリスト教化ということでハワイ社会を大きく変えたが、宣教師のハワイ育ちの子の中から、ハワイの実業界で活躍する人々を数多く排出し、この影響も大きかった。マットの高祖父も宣教師の子で、銀行家であったと紹介されている。

写真 9-2　カメハメハ3世、1850年頃。写真に J.J. ウィリアムズが修正を加えた。ハワイ州提供。PD

カメハメハ3世（写真9—2）は治政も長かったし、王朝を欧風化するのにずいぶん活躍した。1840年には、ポリネシアで初めての憲法を発布して立憲君主国としたが、その後1848年に、グレートマヘレ（「大いなる分配」の意、土地の私有化）を行った。それまでは、島を川に沿って川上から浜辺まで

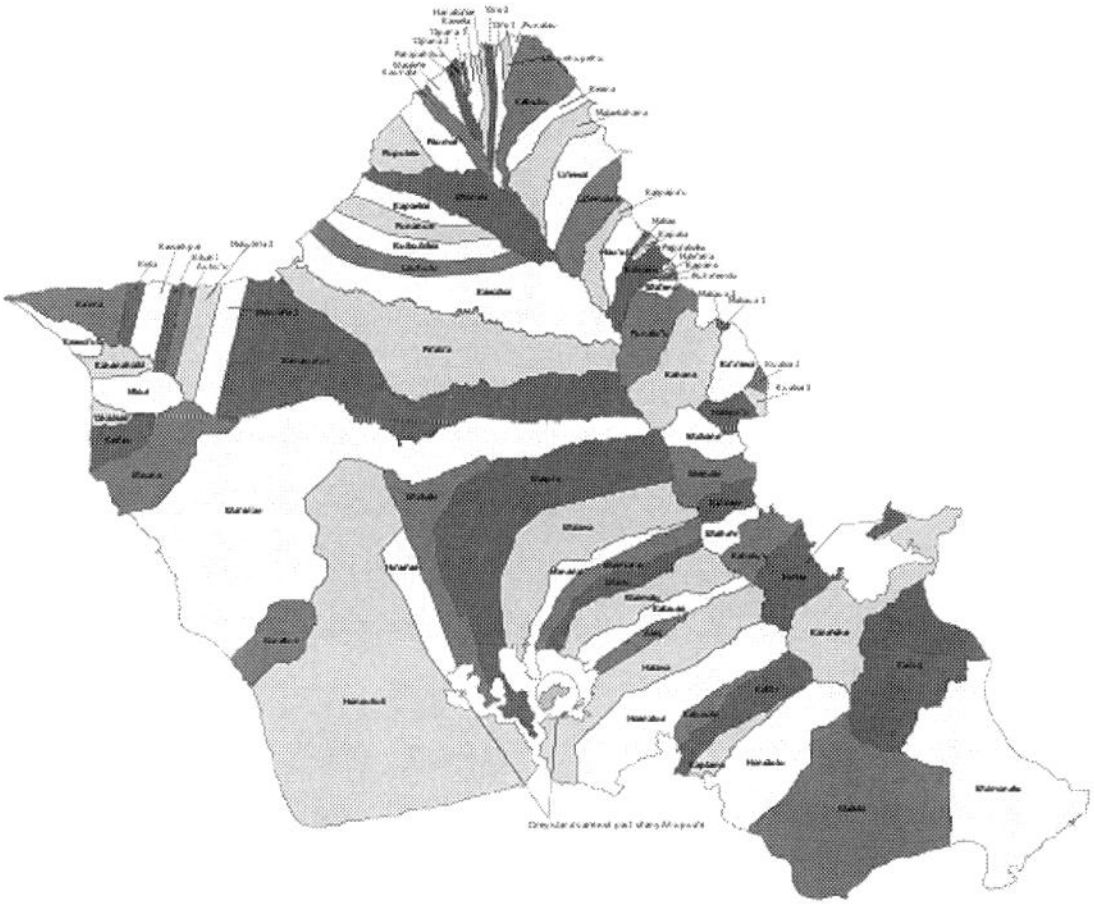

図 9-1　オアフ島アフプアア区分図。2019 年、Mliu 92 作図。原図はカラー。CC BY-SA 4.0

くるむような土地（アフプアア）（図9―1）に区切り、アフプアア毎に首長を代官（コノヒキ）として置いて、貢納を集めさせていたが、その土地は王の土地でもあり、実質的支配者のコノヒキの土地でもあり、またそれぞれに占有し耕作する平民の土地でもあるというように、土地の権利は重層化していた。

　このため、欧米人がサトウキビ・プランテーションの経営をするために行う土地の売買も貸借契約も難しかった。これを解決することが、欧米人入植者の要求であったが、王自身それが近代化だと受け止めていたのではないか、と歴史家のカイクンドールは考えている。[*12] 彼によれば、グレートマヘレで行われたのは、まずは王の所有を確かめてほぼ100万エーカーを王領とし、ほぼ150万エーカーを245人の首長やコノヒキ（代官）に分け、残りの150万エーカーを政府有地としたことである。3分の1を平民にも分けるものとして、直属の主人、王とコノヒキに要求することができるようにしていたが、結局手続きの煩雑さや無理解から、分配されたのは外国人も含めて3万エーカーに過ぎなかった。

それぞれの土地は、アフプアアと呼ばれる土地区分で、川とその周囲を含めて山から浜まで、さまざまな生態系を含む細長い土地であった。これらの土地区画を単位として、白人は土地開発を始めた。1850年からは土地の売買も解禁となった。土地開発は、サトウキビ・プランテーションおよび牧場であった。それぞれの土地に向き不向きがあるが、サトウキビは湿潤で水の豊富なあたりがふさわしく、平民の作るタロイモ田と競合した。牧場、また1900年頃から始まったパイナップルのプランテーションも水はけのよいやや高い土地の方が向いていた。それら開発の実際にハワイ人地主が関わることはあまりなかった。ただし、土地はリースも大変安価だったから、ハワイ人地主からのリースでプランテーション経営が行われることも多かった。1893年の王国簒奪までに67万エーカーの政府有地が売却され、1890年までに政府有地と王領を併せ75万エーカーがリースに出された。*13

サトウキビ・プランテーションの経営は、まさに農業の資本主義的経営であり、規模の強みを生かしてサトウキビだけを大量生産する。そのために労働者を使うが、当時のハワイ人は人口減少が著しく、代わりに海外から移民労働者を年季契約で連れてくる方策がとられた。だからハワイには様々な国から来た移民の子孫がいる。ポルトガル系、プエルトリコ系、中国系、日系、コリア系など。年季契約制度が終了した後もフィリピンから移民労働者が来た。こうした体制で、ハワイの砂糖産業は成り立っていた。またプランテーションには、輸送のための機関車やトロッコ、サトウキビを絞る機械、汁を煮詰める装置などの巨大投資が有効で、合併や買収を重ねて、しまいにハワイに残ったのは、ビッグ5と呼ばれる5社であった。それらは、キャッスル&クック社、アレクサンダー&ボールドウィン社、C・ブルワー社、アメリカン・ファクターズ社、テオ・H・デービス社である。彼らはハワイ準州を支配するとまで言われ、第二次世界大戦の終了に至るまでここを牛耳った。

❖サトウキビ産業の繁栄のあと

ハワイの歴史は、先住民が次第に力を失う喪失の歴史として描かれることが多い。それはつまり欧米人の勢力、外部勢力に支配されるようになったということから導き出される。しかし、興味深いのは、アメリカ合衆国が1900年にハワイを準州としたあと、また1959年の立州後、先住民や移民労働者の権利は本土に遅れながらであるが次第に解放されていくということである。つまり、支配を深めるアメリカ合衆国が「人権」を重んじることを国是としているために、アメリカ合衆国の支配が深まると人権が解放されていくという逆説なのである。

まず、準州となるにあたって、それまで財産規程があって投票ができなかった多くのハワイ人は投票ができるようになる。財力があろうがなかろうが市民権に変わりはないというのが合衆国の民主主義である。それが、準州成立の後に、ジョナ・クヒオ王子が上院議員に選出された理由だ。ハワイ人はクヒオ王子に票を投じた。

一方、王朝下で投票できるのがヨーロッパ語もしくはハワイ語の読み書きのできる者という条件を併合後もクリアできなかった日系を含むアジア系移民の多くは、投票から疎外されていたし、合衆国併合後も一世は帰化が難しく、投票権は得られていない。しかしながら、アジア系の多くは年季契約*14

という半ば奴隷的な契約に縛られてハワイにやってきたのであるが、準州となってからは、奴隷制と同等に見なされる年季契約制は廃止された。移動の自由、職業選択の自由が認められたのである。

戦間期に労働争議が増え、ストライキが必ずしも勝利に結びついたとはいえないが、ビッグ5の陰の譲歩——労働者の主張は退けたが、実質的に賃上げは行った——により、少しずつ賃上げが実現されていたのも事実である。しかし、プランテーション労働者の権利という点で大きかったのは、第二次大戦直後の1946年に本土の労働組合の支援を受けて、初めてエスニック横断的な労働組合が結成されたことである。

その後、州昇格の議論が起こったとき、白人エリート層は日系人の勢力拡大を嫌って反対が多かったが、ビッグ5は連邦議会でのハワイ選出議員の勢力伸長（その結果の経済躍進）を狙って州昇格を支持したという。いずれにしても州昇格は住民投票による94%の賛成で決したが、そのとき投票用紙に独立という選択肢はなかったため、先住民の自決権は永久に失われてしまったという指摘もある。[*15]

しかし一方、州昇格により最低賃金は本土と同じになり、ハワイの労働者はそれまでに比してきわめて高い労賃を享受するようになった。結果として安い労賃に支えられていた砂糖産業は次第に立ち行かなくなる。プランテーションは次々に廃業となりビッグ5は衰退の一途を辿った。ビッグ5は共和党と結びついていたが、戦後ハワイは民主党の大きな票田となり、日系人政治家も多くは民主党に所属している。つまりビッグ5の見通しは甘かったのである。

宣教師の子たちが始めた会社、アレクサンダー&ボールドウィン社は、ビッグ5の他3社が合同で所有していたマトソン汽船会社を買収し、どの会社も次々にサトウキビ・プランテーションを閉鎖せざるを得ないなか頑張っていた。創業家族のうちのアレクサンダー一族は写真９－３。Ａ＆Ｂ社がマウイ島でハワイ州最後のサトウキビ・プランテーションの操業を閉じたのは、２０１７年のことである。それ以前から経営の多角化を図っていたが、現在はさまざまな関連事業を行う不動産会社となっている。

写真 9-3　A&B 社創立者の 1 人サミュエル・T・アレクサンダーとその家族。1882 年頃撮影。A&B 社提供。PD

キャッスル＆クック社も、宣教師の子たちが作った会社である。広くサトウキビ・プランテーションの経営に当たった後、パイナップル栽培で儲けたジェームズ・ドールの会社を買収して、一時はドール食品のブランドで世界中に事業展開をする多国籍農業会社であったが、本体の砂糖産業が立ちゆかなくなり、会社としては細りゆくばかりだ。アジアのドールブランドは現在伊藤忠商事のものとなっている。オアフ島に残るドール・プランテーションは観光施設である。キャッスル＆クック社は、島中でパイナップルを作っていたラナイ島のほとんどすべて８万９０００エーカーを、２０１３年にＩＴ長者でオラクル社の元ＣＥＯラリー・エリソンに売却した。その他３社は、別会社に買収されたり、倒産や解散を余儀なくされたりしてもっと情けない。

カウアイ島やマウイ島をドライブすると、野生化したサトウキビ畑があちこちに目立つ。これら広大な耕作放棄地はどうなってしまうのだろう。またサトウキビ産業衰退後のハワイの人々はどうやって食べていたのだろう。

これは、ビッグ5が傾く方向に向かっていくと同時にハワイの施政者たちが頭を悩ましていた問題である。その答は観光開発であった。ハワイの観光業は既に20世紀になる頃から始まっていたが（第15章参照）、まだまだ金持ちしか行けない場所だった。山中速人によると、太平洋戦争の開始によって、アメリカ軍の兵士が戦線から戻って一時骨休めをする場所として発展することになり、これがハワイ観光の大衆化の始まりである。[*16] 1960年には30万人の訪問客であったが、1970年には175万人となる。1972年には、農業収入と軍関連収入を抜きトップとなる。概ね漸増傾向が続き、コロナ前の直近では年間1000万人がハワイを訪れていた。

1970年頃からプランテーションが閉じ始めるが、その跡地の一部で観光開発が行われ、ホテル、タイムシェア宿泊施設、別荘、プール、ゴルフコース、植物園、レストラン、バー等々、またプライベートビーチを備えた複合施設が数多く誕生したし、現在でもそれは続いている。

一方、かつてサトウキビ・プランテーションに灌漑の水をとられて寂れていたタロイモ水田は、環境保護を合言葉に耕作地が増えつつある。また商品作物としてのコーヒーの栽培が見直され、種子産業も急成長している。私が最初にハワイに行った1978年には野菜はほとんどカリフォルニアから送られてきていたが、現在ではトマトをはじめ多くの地元産野菜が出回るようになった。かつてのプランテーションの一部を農家が借りて生産しているのだ。地産地消は世界的な動きでもある。

今回調べてみて意外だったのは、牧場の健闘ぶりである。牧場はサトウキビ・プランテーションに隠れて見えにくかったハワイの産業である。老舗で最大はハワイ島のパーカー牧場（10万6000エーカー）、モロカイ島のモロカイ牧場（5万4000エーカー）、マウイ島のハレアカラ牧場（2万9000エーカー）、ウルパラクア牧場（1万1000エーカー）などがある。牛や馬、羊などを育てる牧場の開発は、19世紀初頭に遡り、カリフォルニアから呼び込んだスペイン系の牧童（パニオロ）が馬にまたがり動物の世話をした。といっても、現在いわゆる牧場の産業的機能をフルに果たしている牧場はない。ただ、モロカイ牧場[*17]を除いては、一部産業機能を果たしつつ、かつての歴史的建物の保存を行いながら、子どもを含む家族に牧場体験をしてもらったりする、自然体験、自然保護を基調とした観光を行っている。自然保護団体と提携している牧場も、自然保護の活動資金を稼ぐ必要があるから、植物や動物観察や農業体験の指導をしたり、グリーンツーリズム的イベントを行ったりしているのである。

ハワイで最も歴史があるパーカー牧場の初代所有者ジョン・P・パーカーの妻はカメハメハ1世の孫だった。6代目の相続人リチャード・スマートはミュージカルの俳優としてブロードウェイやパリで活躍した後帰郷し、牧場を会社組織とした。彼の没後、会社は利潤を病院・学校など4つの公益団体に与える公益信託となっている。

先のIT長者のエリソンと似たような話がカウアイ島にもある。ウィルコックス家の所有となっていたグローヴ農場――農場、の名になっているがサトウキビ・プランテーションとして灌漑を最初に行うなど、業界のリーダー格だった――であるが、2000年にIT企業で成功しファンドを率いるジェフ・ケースが購入して話題となった。ケースはハワイ育ちで、その祖父はグローヴ農場会社で会計担当者として勤務していたこともあり、ケースの父（弁護士）は信託の受託者の1人であったから、ウィルコックス家の数人との間で利益相反として法廷で争われた。この件は結局ケースに軍配が上がっている。ケースは、既に操業を停止したリフエ・プランテーションとコーロア・プランテーションも併せて購入し、土地はすべてで3万8000エーカーもある。

地元の人たちは警戒したのだが、幸いなことには、エリソンの場合もケースの場合も地元民が困るような観光公害に相当する施設をいきなり建設するような開発を始めてはいない。両者ともに、公共を重んじた事業も含め、サステイナビリティや環境保護を謳っている点が特徴である。ただし、地元の人にいわせると、ラリソンとケースとは違うのだそうで、ケースは何といってもカマアーイナなのだから、ひどいことにはしないはず、という安心感があるという。

❖パウアヒ姫の願いとカメハメハ・スクール

さて、グレートマヘレにより多くの土地が白人のものになってしまったというのが一般にいわれていることではあるが、土地の半分を占める公有地を除いて最大の地主は、カメハメハ・スクールという学校法人で、全ハワイの9％を所有する。19世紀の大地主ルース・ケエリコーラニ姫は子どもがいなかったので、亡くなるときその遺産35万3000エーカーをイトコのバーニス・パウアヒ姫（写真9–4）に託した。パウアヒ姫の夫は第1ハワイ銀行創設者チャールズ・R・ビショップで、このカップルは『ファミリーツリー』のマットのご先祖様とイメージが被るところがあるが、この2人にもケエリコーラニ姫と同様子どもがいなかった。パウアヒ姫はもとからあった土地と併せ、48万6000エーカーを所有するところとなったが、亡くなるときに、この土地を原資としてハワイの子どもたちが学校教育を受けることができるようにと願った。夫のビショップは、この財産を公益信託とし、現在のカメハメハ・スクールの礎を築いた。

カメハメハ・スクールのHP（QR9―2）によれば、現在所有する土地は36万6000エーカー近く、またほかに110億ドルの資産があり、これをリースに回したり、さまざまに運用したりすることで得た利益で、幼稚園から高校まで6900人のハワイ系の生徒・児童に教育を行っている。小学校から高校まではオアフ島、マウイ島、ハワイ島にあり、幼稚園は全州各地30箇所にある。さらにアウトリーチ・プログラムの恩恵に6万人が浴している。高校卒業後の進学も奨学金をもらってできるようになっている。カメハメハ・スクールは、クリスチャンの信仰に則り、通常の教育プログラムに加えてハワイ語やハワイ文化の継承を行う教育がなされている。

写真 9-4　バーニス・パウアヒ姫。1850 年～ 1860 年頃。PD

ちなみに、カメハメハ・スクールは全米一の公益信託であり、その収入はハーヴァードとイェールを併せたより大きいという。[*18] かつてはハワイ人の血を引く者だけに入学が許されたが、現在ではその規程も外されている。しかし、ハワイ語やハワイの伝統文化がカリキュラムに入れられていることは変わらない。カメハメハ・スクールは、パウアヒ姫の偉大なる遺産であり、この遺産の享受が永続する見通しであることはすばらしいことだ。

❖信託制度とポリネシア的土地所有

今回土地の信託について調べてみたのは、これが一族で共有するというポリネシアによくある土地の共同所有という制度と重なるものがあると思ったからである。そして、マットの自らをハワイ人であると呼び覚まされた自覚と土地によって結ばれる子孫たちは、ポリネシアによくある、双系的な親族集団を思わせるものだった。

サモア独立国では全土の４％足らずだが、自由売買がなされる土地（宅地が多い）がある。これを買うと次世代から先は、双系的に続く子孫のものとして登記されることが多い。宅地だからしれた広さしかないが、そこに2～3世代経ると大勢の共同所有者がいることになる。つまり、ここでも伝統的土地所有観が反映されているのだ。

ニュージーランドでも、マオリに残された土地は決して広くないが、観光施設のある土地が信託となっていて、そこからの上がりを親族で分け合うという話も耳にした。

つまり、信託制度が、ポリネシア的土地所有の理念と親和性をもつものであり、ポリネシア人の側からもこの制度を積極的に取り入れる理由があるのではないか、という疑問である。ただし残念なことに、ハワイの目立った家族信託は、宣教師や19世紀のハオレ実業家の子孫のもので、旧コノヒキの土地が信託になっているかどうか、を調べることはできなかった。ただ、宣教師やハオレ実業家はハワイ貴族の女性と結婚することもしばしばあったし、ハワイ人の家族的センチメントを共有することもあったのではなかろうか。すなわち、カマアイナがある意味で、ハワイ人の家族観を知らず知らずに身につけていたことは十分考えられる。もう少し調査を継続するつもりである。

＊1：The State of Hawaii Data Book 2018 (http://files.hawaii.gov/dbedt/economic/databook/2018-individual/06/060718.pdf)

＊2：Kaui Hart Hemmings (2007) *The Descendants: A Novel*. New York: Random House.

＊3：ハワイ人の役なので、そんなのあり?と思ったのであるが、もともとハワイ人は混血が多いので、友人のハワイ人は彼女のポルトガル系ハワイ人のおじさんにそっくりだ、といった。事実役柄では、16分の1のハワイ人である。

＊4：ハワイ語で白人をさすことば。

＊5：ハワイ語や日本語などの移民の言語をとりまぜたローカルの英語。

＊6：認知症者とその家族が、家の売却、空き家問題、施設入所者の入居金＋経費の支払い問題などに対処する方策として想定されている。

＊7：Randall Roth 'Deconstucting The Descendants: How George Clooney Ennobled Old Hawaiian Trusts and Made the Rule Against Perpetuities Sexy' *Real Property, Trust and Estate Law Journal* 48(291), Fall 2013.

＊8：ハワイ語で、現地人を指す語であるが、人種にかかわらず、現地生まれ、現地育ちすべてをさす。土地っ子。ここは代々ハワイに住む白人のこと。

＊9：ここらあたり、いくつかのサイトで話は違っており、ロス教授の話とも詳細は異なる。

＊10：3名のハオレはすべて宣教師の家系に属すカマアイナである。

＊11：ネット上（https://dlnr.hawaii.gov/shpd/files/2015/05/HI_Kauai_RiceBeachHouse.pdf）には、この土地にある「メアリ・S・ライスのビーチハウス」の州史跡登録の申請書がアップされている。最初のオーナーのW・H・ライスの母のメアリ（宣教師の1人）が晩年を過ごした場所である。ジャックも利用した。申請書にはいくつもの写真が掲載されている。

＊12：Ralph Kuykendall *The Hawaiian Kingdom* vol.1, University of Hawaii Press, 1938.

＊13：山本真鳥（2012）「オセアニア世界の植民地化と土地制度」小谷汪之・山本真鳥・藤田進共著『土地と人間』有志舎、115〜213頁。

＊14：決められた年限の労働が義務づけられるのみならず、雇用先の変更が認められていなかった。

*15：ジョン・オカムラ「合衆国併合からハワイ州誕生へ」山本真鳥・山田亨編著『ハワイを知るための60章』明石書店、2013年。

*16：山中速人（1992）『イメージの〈楽園〉――観光ハワイの文化史』筑摩書房。

*17：クック一族のものであったが、もともと牧場をやっていた期間は短く、パイナップル栽培の会社に土地を貸したり、リゾート開発に手を染めたりした後、シンガポールの投資会社に買収されてしまい、さらに現在売りに出ている。住民は大変困惑している状況で、2022年現在将来の見通しは不明である。

*18：1990年代半ばに、その信託の運営において不正が行われているという告発がおき、騒然となった。この顛末はSamuel P. King & Randall W. Roth (2006) *Broken Trust*, University of Hawaii Press に詳しい。

QR9-1
『ファミリーツリー』
（2012 年日本公開）（予告編）

QR9-2
『カメハメハ・スクール　プリンセスの遺産』
カメハメハ・スクール制作、2021 年

第10章　太平洋諸島と疫病

ようやく新型コロナウイルスがおさまってきたようだ。まだ油断はできないが、もとの日常に戻ってきている。さて、日本で感染者が少しずつ増えつつある頃、2020年2月7日には、サモア独立国は、日本から、ないし日本を経由して入国する者に対して制限を設けたが、これはミクロネシア連邦、ツバルに次いで3カ国目であった。[*1] さらに、3月21日になると、すべての外国人の入国を禁止し、自国民居住者にも制限を設けたばかりでなく、国内にも緊急事態宣言を発し、さまざまな行動規制をもうけた。[*2] 片岡真輝によれば、「3月10日時点で日本からの渡航者に対して入国制限を課していた国は28か国だが、その内9か国がオセアニアの国々である」。[*3] それらの9カ国とは、キリバス、クック諸島、サモア、ソロモン諸島、ツバル、バヌアツ、仏領ポリネシア、マーシャル諸島、ミクロネシア連邦である。本章は、パンデミックへの関心にひきつけて、太平洋諸島と疫病の問題を取り上げてみたい。

❖太平洋諸島の人口減少

ジャレド・ダイアモンドの著名な『銃・病原菌・鉄』(2000、草思社)を読まれた方はすでにご存じかもしれない。この本のタイトルは、ヨーロッパ人の植民地主義的な世界制覇を成し遂げた要因を直裁に示している。欧米の文明が世界に広まったことについて述べている部分は、必ずしもこれまでの論考から大きく外れてはいないかもしれない。彼の考察のオリジナリティは、そこで、ヨーロッパ人が優れていたからである、という欧米人のエスノセントリズムを臭わせる記述ではなく、彼らの「成功」の要因を、大陸の南北軸と東西軸の比による人間や動植物の移動の流れ、植物相や動物相に起因していると示したことにあるだろう。人や動植物が南北に移動するのは、移動による気温差のバリアがあるので、なかなか難しい。文化が南北に移動したり、交錯したりすることは、東西の移動に比べて大変難しく、また動植物は南北に行き来するよりは、東西の移動の方に無理がない。だから東西に長い大陸であるユーラシア大陸にこそ文明(食料生産)が発生した、というのである。

その結論について、異論はさまざまあろうが、銃と病原菌、鉄が太平洋諸島を植民地化するのに多いに力があったことは間違いない。太平洋諸社会はキャプテン・クックが探検して回ったとき、食料等を調達するのに大きな鉄くぎやナイフを持参したところ、大変な人気で各地で受け入れられたという。それまで、骨角器や石器といった石器時代の道具で暮らしていた人々に、鉄器が大変な人気をもって迎え入れられたのは十分想像できる。そして、弓矢、棍棒などでの戦闘技術レベルであった太平洋諸島人にとって、ヨーロッパ人のもつ銃はまさに革命であった。最初は、ヨーロッパ人が現地の人々を大量殺戮するのに用いられたが、やがてそれらの武器は現地人の戦闘に取り入れられるようになり、それが従来の戦い以上に人口減少をもたらす結果となった。

西欧との接触時、ポリネシアは、地域ごとに王権が誕生していたが、トンガを除いては、諸島全体を統治するような王権は存在したことがなかった。そのトンガも18世紀末より、王族や首長らが武力で権力を争う「戦国時代」を迎えた。フィジー、トンガ、タヒチ、ハワイで、覇権をもつに至り王を名乗った首長は、それぞれにザコンバウ（写真10―1）、タウファアーハウ、ポマレ、カメハメハである。ハワイではキャプテン・クックを迎えたハワイ島のカラニオプウ王の甥のカメハメハが、従兄弟を倒して同島の王となり、その後他の島々でも戦いを繰り広げて、やがて統一王朝を樹立した。カメハメハは、いち早くヨーロッパ人のテクノロジーの力をかぎつけ、さまざまな理由でハワイに残留したヨーロッパ人――ビーチコーマーと呼ばれる、元船乗り等の太平洋風来坊――を取り立てて、彼らのアドバイスを受け入れるようになった。これが彼の成功の秘訣だと言われる。

この時期に、各諸島で統一の動きが出たのはなぜか、それはやはり、対抗し切れるとは考えていなかったかもしれないが、外敵（ヨーロッパ勢力）に対抗する意味が強かったのではないだろうか。各諸島での動きが大変似ていることを考えると、火器弾薬の導入だけでは説明できない。明治維新に至る幕末の動きも、海外からの外圧あってのことであろう。

写真10-1　フィジー王ザコンバウ、1875年、F.H. Dufty撮影。ニュー・サウスウェールズ図書館蔵。PD

このような戦闘で失われた命は、近年の研究では意外に少ないともいわれているが、戦闘そのものの数が増えたことや、それまで行われていた戦闘技術と比べられないくらい殺傷力があったことを考えると、やはり人口減少の一因であることは間違いない。

しかし、それ以上に人口減少に大きく関わったのは病原菌である。ヨーロッパの病原菌に慣れていない太平洋諸島の人々は、感染症を次々に移されて倒れていった。キャプテン・クックが最初にハワイ諸島（当時はサンドイッチ諸島と名付けられた）のカウアイ島に上陸したのは、1778年1月である。前年暮れに接近していたものの、海上から島を窺い、航行を続けていた。その後、カウアイを離れて北へと進み、カムチャッカ半島やベーリング海、アラスカのあたりなど北太平洋を気候の暖かい間探検して回り、1778年12月に再びハワイ諸島のマウイ島を訪れた。そのとき、船医が淋病を訴えてくるハワイ人を何人も診察している。1年足らずの間に、カウアイ島からマウイ島へとヨーロッパの淋病が広がったことにクックらも驚いている。[*4] 淋病、梅毒などの性病、またその後にはインフルエンザ、ハンセン病、麻疹《はしか》、オタフク風邪、天然痘、結核、チフス、百日咳、赤痢など、我々もなじみある多くの病が、太平洋諸島にもたらされた。それら病は繰り返しヨーロッパや北米でも流行するが、その病気の波が来る度に、それら病原菌に慣れない太平洋諸島の人々は、植民者よりもずっと多くの命を落とす結果となった。[*5] 病原菌による人口減少は、結果的にヨーロッパ人による植民地化を招く一因であるとダイアモンドも述べている。

❖カメハメハ2世の悲劇とハワイの継続的な人口減

カメハメハ1世（大王）は、1795年にカウアイ島とニイハウ島を除いたハワイ諸島の統一に成功し、1810年には残りの島々も掌握して王国の最終的仕上げに成功する。1819年に亡くなるが、多くの妻に恵まれ望み通りの権力を掌握して人生を全うした。1世の没後、第一夫人の長男であるリホリホが後を継ぐことは織り込み済みで、彼は直ちに20代前半でカメハメハ2世（写真10―2）となる。しかし王となったばかりの頃は、1世のお気に入りの妻カアフマヌが摂政となり、彼女と首相カライモクのいいなりになるしかなかった。しかし、1821年には彼もカアフマヌと協力して、カウアイ島の王であったカウムイアリイをだましてホノルルに拉致し、カアフマヌと結婚させて幽閉するなど、少しずつ国政に関与するようになりつつあった。次第にアメリカ合衆国の存在が大きくなる中、彼はイギリスとの友好をはかるためにロンドンに行きたいという意向をもつようになる。

写真 10-2　カメハメハ 2 世。1824 年、John Hayter 画。ハワイ州アーカイヴ所蔵。PD

1823年9月に母のケオプオーラニが亡くなると、ロンドン訪問を計画する。彼は数人の首長らとカママル王妃を伴い、11月に捕鯨船に乗船し、翌年5月にポーツマスにたどり着いた。しばしロンドンでの名所観光や観劇などして、ジョージ4世に謁見できるよう待機していたところ、カママルが麻疹にかかりあっけなく亡くなってしまった。7月8日のことである。そしてその後を追うように、落胆したカメハメハ2世も14日に亡くなった。麻疹に冒されていた一行であったが、同行していたオアフ島知事のポキの指揮の下で回復に努め、9月にジョージ4世の謁見がかなう。カメハメハ2世夫妻の遺体を乗せ、一行がイギリス海軍のフリゲート艦で帰国したのは翌1825年4月半ばであった。

ロンドンに太平洋から賓客が訪れることはそれ以前にもあった。クックの第2回航海の際、1773年ライアテア島(ソシエテ諸島)出身のオマイがファヒネ島からイギリス海軍のアドベンチャー号に乗船し、1774年10月にロンドンに到着した。2年の間、彼はロンドン社交界で有名人に面会したりして楽しいときを過ごし、クックの第3回航海に伴われファヒネ島に戻った。オマイについては彼のために劇作や詩作などが行われ、現在でも当時のモテモテの雰囲気を知ることができる。

その10年後、パラオの首長の息子リーブーが、同諸島で難破した船の船長に連れられて1784年にロンドンに到着し大変な歓待を受けたが、半年後の同年12月に天然痘にかかり亡くなっている。またクックの第1回航海の際に、海軍の帆船に乗船してニュージーランドで通訳を務めるなど、クックの役に立ったタヒチ人トゥパイアもいたが、ロンドンに向かう船の中バタヴィア(現ジャカルタ)で病没している。原因は赤痢ともマラリアともいわれている。オマイは元気にファヒネに戻ったが、あとはいずれも病気で亡くなっているのである。

ハワイ人の人口は、キャプテン・クックが訪れた1779年頃、およそ30万人程度と推計されているが、1831年の初めてのセンサスの頃には13万人となっていた。しかし、1853年は、純血ハワイ人7万人、ハーフのハワイ人が1000人程度である。そこから一貫して減少傾向は継続して、19世紀の終わり頃には、ハーフ共々4万人を割り込むまでとなる。けれども、1910年の3万9000人を底に、それからは増加に転じ、[*6] 現在は、合衆国全国で、単一でハワイ人

15万6000人に対し複数帰属で52万7000人が申告しているので、底を打ってから著しい増加を見せている。ただし、本土への移住が多く、現在ハワイ州在住のハワイ人はおおよそ合衆国全土の3分の2程度となっている。

さてヨーロッパ人と接触して以来130年ほどに渡り、人口減少を続けたのは、疫病と高い幼児死亡率、ならびに出国――船乗りになって出て行く若者は存外多かった――、そして出生率の低さに起因する。

はやり病は何度も到来したが、とりわけ1848年から49年にかけていくつもの疫病の流行が重なって大変なこととなった。メキシコで発生した麻疹が合衆国海軍のフリゲート艦の寄港によりもたらされ、まもなくカリフォルニアではやった百日咳が到来し、その後、赤痢、インフルエンザも合流して、とりわけ老人と子どもがバタバタ亡くなり、おそらく1万人の命が失われた。*7

その頃、ハワイはサトウキビ・プランテーションの開発が進むが、プランテーションで働く労働者として、ハワイ人は全く頼りにされておらず、多くの年季契約労働者が海外から調達された。中でも日本人は、ときの王カラカウアが勤勉さを見込んで、日本政府に送り出しを依頼している。結果として日本人は1900年までに6万人来島して、ハワイ人人口を凌駕し、1960年まではハワイ州最大のエスニック集団であった。

出生率の低さと短命を象徴するのは、王朝である。カメハメハ2世が麻疹で亡くなった後、まだ10歳を超したばかりの幼い弟だったカウイケアオウリがカメハメハ3世（写真10―3）となった。カメハメハ3世は、後に憲法を制定し立憲君主国としたり、土地制度改革を行ったりし、30年近くの在位

写真 10-3　カメハメハ 3 世と一族（前列中央、カメハメハ 3 世、左カラマ王妃、右ヴィクトリア・カママル＝後のカメハメハ 4 世と 5 世の妹、後列左アレクサンダー・リホリホ＝後のカメハメハ 4 世、右ロット・カメハメハ＝後のカメハメハ 5 世、ヴィクトリア・カママルは 5 世の後継者と目されたが、20 代で兄に先立つ）。1853 年頃、Hugo Stangenwald 撮影。PD

を誇るが、残念なことに子どもがいなかったので、腹違いの姉妹キナウの息子、アレクサンダー・リホリホ（1世の直系の孫）を養子に迎えていた。1855年に3世が41歳で没。その後、彼がカメハメハ4世となるが、一粒種の息子アルバートを幼くして亡くし、彼自身も1863年に気管支喘息で29歳の若さで亡くなる。彼の後は、兄のロット・カメハメハが5世となるが、1872年に妻も子もないまま42歳で亡くなる。その病の床に1世最後の直系であり、かつての婚約者であるバーニス・パウアヒ姫（第9章参照）を呼んで王朝を託そうとしたが、パウアヒは辞退する。ここでカメハメハ王朝は断絶するのである。パウアヒ自身も子どもはいなかった。

　この後ルナリロが選挙で選ばれるが1年余で病没、没後の選挙でカラカウアが王となるが、カラカウア王も子どもはなく、妹のリリウオカラニを後継とした。リリウオカラニ女王も子どもがなかったため、姉妹リケリケの一粒種カイウラニ姫を後継に指名していたが、王朝が合衆国に併合された1年後の1899年にカイウラニ自身も23歳の若さで亡くなっている。*8

❖ラパヌイ島の悲劇

　イースター島の名で世界中に知られたラパヌイ島の名物はモアイ像である。島の名は知らなくても、モアイ像は知っている、という人が多いに違いない。ラパヌイ島は、いわゆるポリネシアン・トライアングルの東端に位置している。他の島々からは遠い絶海の孤島で、現在はチリの領土となっている。

　イースター島と名付けられたのは、この島を1722年にオランダの航海者ヤーコプ・ロッヘフェーンがヨーロッパ人として初めて訪れた時期が、イースターだったことによる。この島に多く存在する石像については、ロッヘフェーン、その後キャプテン・クックによっても報告されている。また、ロッヘフェーンの訪れた頃には、明らかにモアイ像は祖先崇拝の対象であったが、クックが訪れた1774年頃には既に像はかえりみられておらず、別なバードマンを巡る信仰が最盛期であったらしい。そのためか、ラパヌイ人は「文化財」に無関心だったようだし、以下に述べるようにこの時期は人口減少が著しく、ラパヌイ社会はそれどころではなかったかもしれない。19世紀には、像を船に積み込んで持ち去る航海者が後を絶たなかった。大英博物館にもあまり風化していない見事な1体があ

写真 10-4　ラパヌイ島、ラノ・ララクのモアイ像。2004 年、Artemio Urbina 撮影。PD

るが（太平洋室）、これは海軍トパーズ号探検隊が持ち帰り１８６９年に博物館に収めたものである。

さて、ここではラパヌイ島の極端な人口減少を扱う。病原菌もおおいに関わっているが、同時に当時南太平洋ではびこっていたブラックバーディングや労働力徴収が重なったことにより、ラパヌイ島の人口は最少で１００人程度にまで減少した。

イギリスでは、奴隷解放運動が18世紀後葉に始まり、国内では19世紀になるとすでに奴隷という制度はなくなっていたが、これを大英帝国のすべてに波及させるかどうかが問題となっていた。１８０７年の奴隷貿易法により奴隷貿易が違法となり、１８３３年に奴隷制度廃止法が定められると、大英帝国のすべてにおいて奴隷制度が廃止されることとなった。

オセアニアの開発はアフリカの奴隷貿易の現場からは遠かったし、時代も少々ずれるので、アフリカ系の奴隷が連れてこられることはなかったが、ハワイやフィジー、オーストラリアのサトウキビ・プランテーション、サモアのココヤシ・プランテーションなどのプランテーション開発では、現地の労働力にあまり頼れないため、労働者をどのように集めるかが常に課題となった。いずれの地域も奴隷制度以後もっぱら重宝された年季契約労働者を利用した。そして、南太平洋では、後にアジア系労働者に転換したフィジー、サモアを除いて、主としてメラネシア——主に、ソロモン諸島、ヴァヌアツ（ニューヘブリデス諸島）など——の人々を導入した。しかし、アジア系の場合と異なり、彼らはおおむね字が読めず、契約内容をちゃんと理解してサインしたかどうかは常に問題であった。また、交易品などを持参して甲板に上がることを勧め、同意なしに出帆して誘拐する手法もしばしばみられた。形式的にサインさせた場合も含め、こうした手法で労働力を徴収することは一種の奴隷貿易であり、ブラックバーディングと呼ばれた。ブラックバーディングの場合も、正式な手続きを踏んだ場合も、メラネシア系労働者は主にオーストラリアのサトウキビ・プランテーションで働かされた。

一方、太平洋に面したペルーは、1824年に独立し、2万5000人のアフリカ人奴隷を有していたが、1854年に奴隷解放を行い、労働力不足を迎えていた。そこにつけ込んだのが、アイルランド人のジョゼフ・C・バーンで、彼は1862年にペルー政府の労働力徴収の免許を得ることに成功した。最初はメラネシア人を対象とするつもりであったのが、方向転換して、ポリネシアの諸島を回り、典型的なブラックバーディングを行った。他の島に比べ孤立していて、宣教師がまだ到達していなかったことから、ラパヌイ島は目をつけられたに相違ない。1862年から63年にかけて、8隻の船が1回から2回この島に来て、総勢1408人、全島民の34％を無理矢理連れ去った。

そのうち1282人は、農業労働や家事労働のために売られた。残りはチンチャ諸島の鉱山でグアノの採掘に従事させられた[*9]。ここは最悪だった。不衛生な環境下で、結核、疱瘡、赤痢の病気にかかり、栄養不良や望郷の念に駆られる中で亡くなる者続出であった。あるプランテーションに送られた322名の中では6カ月で119名が亡くなった。都会での家事手伝いなどに従事する者は子どもに感染症を移された。

このペルーのポリネシア人ブラックバーディングは、ラパヌイ島に限らず、その他の島々にも及んでおり、総勢3500人とも推計されている。これには国際的な批判が集中した。ペルー政府は免許を取り上げ、ポリネシア人労働者を帰還させるためにカリャオ港に集めたが、当時疱瘡が発生し地域一帯で流行したため、集められたポリネシア人もこれが原因で多くが亡くなった。また、帰還船の中でも感染は無縁ではなかった。

既に大半が亡くなっていたラパヌイ人グループは、ディアマン号で1863年9月に出帆したが、到着する前に船内で85人が死亡、15人は帰還できた[*10]とはいえ、その中に天然痘患者がいたために再度悲劇が起こった。島に天然痘が蔓延し、1500人ほどが亡くなった。あまり大勢が天然痘にかかったので、死者をすべて埋葬することはできず、文化伝承にも支障が出た。

さらに1864年に宣教師がやってきたが、その後に結核が流行した。1867年には、残っていた首長ラインの最後の1人が亡くなり、コミュニティとしても壊れていく。ラパヌイ人から土地を買ったと称するフランス人のデトルー＝ボルニエー――フランス領ポリネシア（当時は保護領）で農園経営をしている――と在住宣教師との間に権力闘争もあり、コミュニティが成り立たず、海外へ年季契約労働に出て行く人々もいた。1877年4月にはラパヌイ人は110人しかおらず、そのうち女性は26人となってしまっていた。この後デトルー＝ボルニエの土地を引き継いで島の再興を図っていたタヒチ王族のアレクサンダー・サルモンは、ラパヌイ島をチリに割譲することを決定し[*11]、現在に至っている。110人を底に人口は回復したが、いったん失われた社会や文化を回復することはなかなか難しい。2017年センサスでは、住民が7800人、そのうちラパヌイ人と自認する人々は3500人ほどとなっている。

❖サモアの苦い経験と現在

サモア諸島は、長らく英米独の3国の植民地化のつば競り合いの時代を経て、1899年に東西に分離し、西側がドイツ領、東側が合衆国領となった。しかし西半分は、第一次世界大戦のために、1914年にドイツ統治が終了してしまい、その後占領したニュージーランドの軍政下に置かれ、ベルサイユ条約を経て、ニュージーランド委任統治領となった。その切り替わりの時期に、現在の新型コロナとの関係でしばしば言及されるいわゆる「スペイン風邪」――スペインの名誉のためにスペインは発生とは無関係であることをお断りしておく――が西サモア（旧ドイツ領）に入ってきて、猖獗を極めることとなった。

このスペイン風邪は、1918年春頃フランスからスペインに移動し、その後世界中に広まり、

1919年初夏まで15カ月間続いた。世界中で5億人の人が罹患し、それは当時の世界人口の3分の1に相当する。死者数は1700万人～5000万人とも言われるが、1億という説もある。日本でも5500万人がこれに罹患し、39万人が亡くなっている。

西サモア（現在のサモア独立国、以下サモア）は、軍政下にあり、宗主国ニュージーランドでは1918年10月にこの流行が始まっていた。ニュージーランドを出航した輸送客船タルネ号はサモア、トンガ、フィジーを巡航する予定で、11月7日にサモアに到着した。当時の情報能力では、スペイン風邪のしらせはサモアに伝わっておらず、タルネ号に乗船していた罹患者が上陸し、軍政の責任者ローガン大佐は船の運んできた新聞を読んで、スペイン風邪の流行を知ったのであった。とき既に遅し、である。1週間もしないうちに、スペイン風邪はサモア人の間に広がってしまっていた。罹患率は90％を超え、人々の社会経済生活はめちゃくちゃとなった。特に若い人の罹患率・死亡率が高かった。

太平洋諸島の中では、アメリカ領サモアが検疫に成功し、スペイン風邪をシャットアウトすることに成功した。QR10―1は、当時の様子を振り返り、アメリカ領サモアが新しいパンデミックに備えた対策をいち早くとったことを伝える番組である。厳しい検疫政策をとった上で、50マイルしか離れていない隣のサモアからカヌーで密航してくる者を厳しくとりしまった。小さな隔絶されたコミュニティゆえの対策である、と述べている。

1918年に厳しい検疫を行ったアメリカ領サモアのポイヤ司令官（アメリカ領サモアは当時海軍の軍政下）は、隣のニュージーランド軍政府に援助を申し出たが、ローガン司令官に拒否されたという。ローガンはアメリカ領サモアとの電信も切ってしまった。後にサモア人はニュージーランドの失政を多いに責める結果となったが、これは対照的な対応が隣に存在したからでもあろう。その他の島々はどこもサモアほどでないとしても、この病気の蔓延に大変苦しみ、オーストラリア、ニュージーランドに助けを求めたにもかかわらず、それぞれ宗主国も同じ悩みを抱え、援助の手を伸ばすどころではなかった。

それでもローガン大佐の失敗はその後も続き、ニュージーランドはテイト大佐と交代させた。ボランティアで救助活動を行う人々も、当時の医学では感染の危険を避けることはできなかったため、大きな自己犠牲を払うこととなった。現地の欧米人がさまざまな記録を残しているが、おおむね現地社会に対しては冷たい記録となっている。サモア人リーダーたちが仲間のことに無関心であるとか、患者に食べ物を与えるとか、死者を葬るといったことが行われない、と述べている。[*12] ただし、これは異常事態であり、住民の4人に1人が亡くなるのであれば、その呆然とした何も手につかない状況を我々は理解すべきであろうと思う。ニュージーランドでは人口の2％が失われただけであったが、それでも国家にとって大きな損失であったと今でも語り継がれているほどである。

サモア人のニュージーランド政府に対する不満は、国際連盟から国際連合に組織改変されるとき、西サモアを東同様、合衆国の統治下に入れて欲しいという請願が行われる寸前だったことにも端的に表れている。また1926年になると、独立を目指す反植民地主義のマウ運動が始まる。パンデミックでの失政もその背景としては存在しているのだろう。QR10－2は、ちょっと長いが、前半は1918年のパンデミック、後半はマウ運動が描かれている。

さて、新型コロナについて、いち早く対策をとったサモア独立国については最初に紹介した通りである。確かに医療施設も十分ではないし、現在でも取り扱いできない患者はニュージーランドに送っているという事情がある。また、狭い島の中では逃げ場がない、ということもある。いち早くそのような対策をとったのは、多くの島社会では当然のことであろう。そして、主食等の食料自給は可能であるし、いざとなったら、海に潜って魚をとればよい。贅沢さえいわなければ、飢え死にすることはない、ということもある。

しかし、サモアの場合には、2019年末から翌年の1月にかけて、麻疹《はしか》の流行があり、手に負えないまでにひどい状況になっていたという背景がある。人口20万人のところ5700人が罹患し、83人が死亡した。ほとんどが子どもである。実は2018年に3種混合ワクチン(麻疹、オタフク風邪、風疹)の接種時にミスが出て、子ども2人が亡くなってから、ワクチン接種の反対運動が起きた。ワクチンの接種率が前年は70%を超えていたのに、19年度は30%近くまで落ちていた。子どもがバタバタ麻疹にかかるようになってからも政府の対応は鈍かったとのことである。結局、反対運動のリーダーを逮捕し、ワクチン接種を義務化してようやくおさまったのが新年を迎えた頃であった。*13

2020年3月に用事があってサモア大使館に電話し、ついでに「えらく早く門を閉じましたね」と言うと、日本人の職員の人が「麻疹のことがありましたから……」と答えた。幸いにも、新型コロナに関しては2020年5月現在まだ1人も患者を出していない。

❖騒動後

新型コロナのパンデミックは収束したようにも見える。この間、太平洋諸島も無傷ではなかった。

ポリネシアの島々は固く殻を閉じてしまった島・諸島が多かったが、２０２２年２～３月頃から、それまでゼロに近かった感染者が急増した。サモア独立国も例外ではない。多分オミクロン株の影響が推測されるが、理由は不明だ。当時は国境封鎖で、飛行便も月１回だった。海外移民の帰郷も政府が固く管理し、葬儀にも参列できなかった。幸いなことに５月をピークとして減少し、現在は国内の罹患者もゼロとなっている。しかし、規制解除という世界的な流れの中で、２０２２年８月１日から観光客を含むすべての旅行者をワクチン接種を条件として受け入れることとし、９月22日からその規制もなくした。国の大きな収入源である観光再開を望む圧力もあったかもしれない。日本人の延べ罹患者の全人口に対する割合は18％であるのに対し、サモアは８％程度である。一方のアメリカ領サモアは２０２２年11月15日までは緊急事態宣言が出ており、ワクチンやマスクの規制が続いていたが、12月３日に宣言を解除した。

＊１：読売新聞「サモア、日本からの入国制限を実施…３か国目」(2020.2.10)

＊２：ラジオ・ニュージーランド (https://www.rnz.co.nz/international/pacific-news/412240/tonga-and-samoa-declare-states-of-emergency-because-of-covid-19)（２０２０年３月21日閲覧）

＊３：片岡真輝「オセアニア地域における新型コロナウイルスへの対応」『海外研究員レポート』IDE-JETRO（２０２０年４月）(https://www.ide.go.jp/Japanese/IDEsquare/Overseas/2020/ISQ202030_005.html)

＊４：マーシャル・サーリンズ（山本真鳥訳）（１９９３）『歴史の島々』法政大学出版局。

＊５：太平洋でもっとも死者が多かったのは、１８７５年１月～６月のフィジーの麻疹の流行で、人口の３分の１が失われ、内陸ではこのために反乱が起きた。残念ながら紙面の都合で今回はとりあげない。

＊６：Robert C. Schmitt (1977) *Historical Statistics of Hawaii*. Honolulu: University of Hawaii Press.

＊７：R.C. Schmitt & E.C. Nordyke (2001) Death in Hawai'i: The epidemics of 1848-1849. *The Hawaiian Journal of History* 35: 1-13.

＊８：１８９３年に、アメリカ系市民がクーデターを起こし、そこに合衆国海兵隊が動員された。リリウオカラニ女王は

１８９５年に廃位させられ、１８９８年に合衆国がハワイを併合する。

＊９：海鳥の糞などの化石化したもので、リン酸肥料などの原料として用いられる。

＊10：Henry E. Maude (1981) *Slavers in Paradise*. ANU Press (ebook)

＊11：Steven R. Fischer (2005) *Island at the End of the World: The Turbuient History of Easter Island*. Cromwell Press.

＊12：Sandra M.Tonkins (1992) The influenza epidemic of 1918-19 in Western Samoa. *Journal of the Pacific History* 27(2): 181-197. しかし、現在のサモア人は、しつこいまでに他人の世話を焼く人々であるから、こうした記述は私には納得できない。

＊13：Avi Duckor-Jones 'Tragedy in paradise: How Samoa is faring after the measles epidemic' *Noted* Feb. 5, 2020 (https://www.noted.co.nz/currently/currently-world/samoa-measles-how-its-faring-after-the-epidemic)

QR10-1
『アメリカ領サモア 1918 年パンデミックをかわす―ここから我々が学ぶこと』
Retro Report 制作

QR10-2
『1918 年サモアと死の船タルネ号』
The Coconet TV 制作

第11章　オセアニアの環境、沈む島とゴミ問題

環境問題は私が必ずしも得意とする分野ではない。しかし、オセアニアの今を語るにあたって全く言及しない、というわけにはいかないと思い、私のもっている乏しい知識を寄せ集めてこの第11章を書いてみる。オセアニアの環境問題と一口にいっても、本当はかなり広い領域を含んでいるが、多くの場合、植民地主義と同様に、オセアニア諸国の人々は概ね被害者である。

その最たるものは核問題である。全く関係ないところで作られ、実験場となっただけで、利用することもない。北太平洋ではビキニ環礁等でのアメリカ合衆国の、また後には南太平洋ではムルロア環礁でフランスの核実験があった。[*1] 前者においては、日本の漁船も巻き込まれて被爆する事態が生じたが、同時に住民に多くの被害が生じている。いずれの場合も環境破壊が深刻である。実験終了は合衆国の場合1960年代、フランスの場合90年代であるが、まだ問題は終了していない。両方とも、理系文系を含む研究者ばかりでなく、現地住民、環境運動家、国際政治に関わる人々などを含んだ国際的な研究・活動の取り組みがある。ただし問題はまだ残っているが、国際世論の関心は地球温暖化の

方にシフトしているようだ。

本章は、前半で地球温暖化の問題を、ツバルを軸にして考えてみる。その後、太平洋諸島のゴミ問題を取り上げるが、これには日本が大いに関わっているからである。

❖環礁（アトール）の誕生

地球温暖化は、北極の氷、氷河などが溶け出すという事態を招く一方、海面上昇、気候変動、海流の変化、生態系の変化、風の変化などさまざまの事象があり、世界中が何らかの影響を被っているのであるが、太平洋の環礁には最も高いところでも海抜2〜4ｍ程度のところが多く、そのうち島そのものが海面上昇によりなくなってしまうのではないか、ということが取り沙汰されるようになっている。

まずは、そのような環礁について最初は書いてみよう。オセアニアの島々は、その成り立ちにおいて、火山島、隆起珊瑚礁、環礁の3種類に類別される。ハワイ諸島や、サモア諸島、ソシエテ諸島などは火山島であり、火山活動によって生成している。ハリイ島は今でも火山活動が盛んで、ときに噴火が起こる。一方、トンガの主島であるトンガタプ島は隆起珊瑚礁である。環礁（アトール）は、低い土地が連なって、ところどころ切れたりしながら、環状に形成されているものである。次節で取り上げるツバルの主島フナフチ環礁を上空から撮影した写真をお目にかけよう（写真11−1）。

このような環礁でできあがっている諸島は、例えばマーシャル諸島、ツアモツ諸島、ツブアイ諸島などがある。どうしてこのような環状の島ができあがったのだろうか。環礁の生成について、進化論

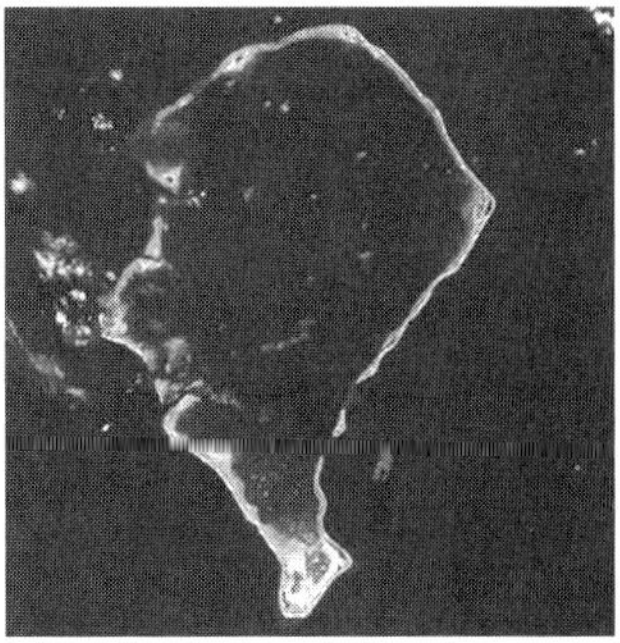

写真 11-1　フナフチ環礁航空写真。NASA 撮影。PD

で有名なチャールズ・ダーウィンが仮説を立て、それは現在でも専門家にサポートされている。すなわち、最初火山活動によって、中央に高い山がそびえる島が生成する。その後、その島の周りの水面あたりに、珊瑚が育つ。何らかの理由により地盤沈下が起きたか、海面上昇が起きたかして、ごくごくゆっくり島は沈下していく。珊瑚は海面すれすれに育ち、しかも上に育っていくという性質があるために、かつての島の裾の位置から真上に伸びていき、やがて珊瑚礁ができあがっていく。ＱＲ11ー1には、３０００万年もかかってゆっくり進行すると述べられているが、その実際の年数はケースバイケースである。珊瑚礁と島の間は遠浅になっており、そこにさまざまな生物が生息している。これはラグーン（礁湖）と呼ばれる。やがて、真ん中の元の火山が水没してしまう場合も、残ってしまう場合もある。

チュック（旧トラック）諸島（現ミクロネシア連邦の一部）というのは、山の高い部分だけがいくつかの島になってまだ残っていて、そこに人が住んでいる。周囲の珊瑚礁は人の住む島々のはるか彼方に存在し無人である。チュック諸島のラグーン内は既に結構深くなっていて、船の航行が可能である。第二次世界大戦中、トラック諸島は日本海軍が駐留する天然の要塞といわれた。ラグーン内は波静か、ラグーンの切れ目に目を光らせるだけで守備できたからである。

環礁はこの中央の山のてっぺんも水没してしまったものである。やがて珊瑚礁に砂や土が堆積し、ヤシなどの植物が育つ。人が住むことができるようになるが、しかし環礁の生活はなかなか厳しい。

私は環礁で調査を行ったことはなく、1974年にマジュロ環礁（マーシャル諸島）に立ち寄った経験しかない。海外経験の全くなかった大学院の1年生で、ハワイ経由でマジュロに到着した。到着時には愕然とした。何しろ海からの距離がほとんどなく、前も海、後ろも海である。波の音が常に聞こえる。海からの高さがさほどない場所であるから、まるで海の上に直接立っているかのような錯覚に陥る。高いところがあっても海抜2〜4mの世界だ。嵐が来たら、あのヤシの木にしがみつくしかないのだろうか、などと考えている自分がいた。もちろん2〜3日たったら慣れてはきたが。

植生が乏しく、ココヤシ、タコノキ程度で、イモ類は育たない場合もある。井戸を掘っても、塩っぽい水しか出ないことが多いので、天水に頼らざるを得ない。雨が頼りであるが、ときに日照りが続くこともある。環礁で調査したある人類学者は、洗濯をさせてもらったが、すすぎは1回だけといわれたという。雨がしょっちゅう降り、植生豊かなサモアの暮らしは比べものにならないくらい恵まれているかもしれない。

❖沈む島ツバル

温暖化の中で注目を集めているツバル（Tuvalu）は、エリス諸島と呼ばれる9つの環礁からなる国家である。イギリス領ギルバート・エリス諸島として統治されていたが、独立に際して、ミクロネシアのギルバート諸島*2とポリネシアのエリス諸島とは、言語や文化も異なるため、別々に独立する道を選んだ。1978年に独立した、議院内閣制に基づく国家で、人口約1万人ほど（2018年推計）である。tū は立つという意味で、valu とは8のことである。当時9つの環礁のうち8つの環礁に人が住んでいたためという。人口20万人のサモア独立国は日本から見たら極小国であるが、ツバルはさらにサモアから見ても20分の1の小国である。

首都は写真11―1のフナフチ島で、フィジーのナウソリ空港（首都スヴァの近くにある比較的小さな国際空港）からプロペラ機が週に数便飛んでいる。フナフチ島から他の島へはフェリーで移動することになり、それほど便利とはいえないようだ。さまざまな利便性ゆえと思われるが、他の島々からもフナフチ島に移住する人が増え、国全体の人口の半数はここに住んでいる。

このような環境ゆえ、ほとんど輸出できる資源はない。船員として働く者の仕送りは家族にとって重要な収入となっている。船員養成のために、フナフチ島には、ツバル船員養成所が独立に併せて設置された。また、ドットtvというドメインコードの管理権を委託するといった奇想天外の収入を得たり、ODAをまとめてもらい信託基金とするなどの工夫が見られる。

ツバル語は近辺ではサモア語に近く、サモアとの文化的な近縁性も注目される。サモアにはエリス諸島出身者が住むとされる、エリセフォウ（Elise Fou、新エリス）という村がある。彼らのダンスは村に伝わるものでサモア的ではなく、たまにショーをして見せてくれたりもするが、現在では住民はサモアの教育を受け、サモアの市民権を得たり、サモア人との通婚もあるだろう。

ツバルが世界的に有名になったのは、地球温暖化が議論されるようになってからである。温暖化のために北極や氷河の氷が溶けつつあり、それが世界的な海面上昇に結びついている。1993～2018年の間で年間3・3㎜ずつ海面が上昇している[*3]とするならば、海面すれすれの地面となって

写真 11-2　フナフチにて、降水と満ち潮による洪水、2017 年。Fabian Gutierrez Cortes 撮影。CC BY-SA 4.0

いるツバルは国全体で少しずつ地面が奪われ、しまいには海面に没してしまう可能性がある、という情報は世界を駆け巡っている。実際、Tuvalu climate change でググってみると、多くの衝撃的写真を見ることができる。

ただし、実際にツバルが地球温暖化のせいで沈みゆく島であるかどうかは、科学者の間でも結論が簡単に出ているわけではない。私はそのようなデータをきちんと追ってお伝えするほど知識があるわけではないが、ツバルで人類学のフィールドワークを行った小林誠は、実はツバルの海面上昇には多くのファクターがからんでいて、それほど単純ではないという。[*4] 確かにヤシの木の倒壊も起こっているし、地面から潮っぽい湧水が出てきているが、グローバルな海面上昇でそれが生じているとは言い切れないらしい。フナフチは第二次世界大戦中に合衆国海軍が日本軍攻略用の飛行場を急ピッチで作り、そのために人為的な地形の改変を行っている。湧水はこの工事が行われた場所で起こっている。また、首都集中の人口増加のために、従来居住していなかった海岸近くまで人が住むようになった結果、冠水などの被害が増大しているという（写真11―2）。そして、人口増加と近代化の結果、ゴミ処理も進んでおらず、これが海水汚染にもつながっている。

フナフチ島自体は、浸食される部分もある一方、土砂が堆積するということも生じていて、実際に面積は微増しているという結果も報告されている。またこれは他の環礁についても概ね共通することのようだ。面積に変化なし、もしくは微増した環礁がほとんどで、面積が減じた環礁は14％しかない[*5]。しかし、海流で堆積した土砂がすぐに耕作に適しているとは思えない。「使える土地」になるまでには時間がかかるので、やはり失われているという見方も正しいといえそうである。

住民の意識という点でも小林誠は調査を行っている。わからない、と述べる少数派を除くと、海面上昇を認める人の方が少ないのである。そして海面上昇を認める人々は、マスコミ（主にラジオ）の言説にある「海面上昇」や「平均海面」という語を認識しているかどうかに大きく依存しており、それによってむしろ周囲の自然現象を恣意的にピックアップして傍証として語る傾向があるという[*6]。この住民の認識はすべてのツバル人の認識を代表するわけではないが、おそらくツバルの政治家が対先進国の場面で、地球規模での先進国（加害者）と途上国（被害者）という図式に則ってさまざまな援助を訴えかけるときには、このような言説が下地となっているはずである。

海面上昇ということを考えると環境移民という考え方は当然出てくる。オーストラリアははじめから拒否しているが、ニュージーランドは一時受け入れることに同意した。しかし環境移民の定義の難しさからか、結局取り下げるに至っている。ニュージーランドはその代替としてか、労働移民という

写真11-3　フナフチのゴミ捨て場。2000年、Stefan Lins撮影。

ことで、キリバスと共に、毎年各75人の枠を設けて受け入れている。2013年の国勢調査では約3500人のツバル人がニュージーランドに住んでいる。オークランドで開催される太平洋系移民の祭典、パシフィカ・フェスティバルには、ツバルの村が登場するようになった。

ヤシの木が倒壊するとその根のあたりが浸食され、流れ出した土砂が珊瑚の生育には悪影響となる。また、ゴミ問題からの汚染も気になるところである（写真11―3）。珊瑚の生育も何とかできないかということで、国内の環境保護を行う動きは存在している。マングローブの植林が行われており、またゴミ問題への取り組みが行われる気配が出てきたことは尊重したい。

❖サモアの廃棄物処理問題

環礁に限らず、オセアニアのゴミ問題は、近代化と共に始まった大きな課題である。もともとプラスチック、ガラス、鉄、といったものはオセアニア文化にとって外部要因であるし、現在ですら現地で作られてはいない。近年それらの輸入品が多く取り入れられ、車輌のように大きな粗大ゴミも出るようになっているが、それらのほとんどを再生して部品に作り替えて用いるということのできないオセアニアの諸島では、先進国以上にゴミを抱えることになってしまうのである。

さて、私が長らく定点観測を行ってきたサモア独立国のゴミ問題について考えてみよう。私が最初にフィールドワークに訪れた1978年頃、サモアにはごく限られた街中（アピアの商業地区）だけドラム缶を半分に切ったゴミ箱が設置されていたが、一般家庭にも、一般家庭の周囲にも、ゴミ箱はなかった。養女となって住み込んだ現地人宅もあちこち寄せてもらった知人宅もトイレを除いて家内にゴミを回収する容器はなかった。

というのも、外来のものを除いて、厨芥《ちゅうかい》ゴミや食べ残しはその辺に投げ捨てれば、ブタが食べるし、その他腐っていたり固かったりしてブタが食べないものも、そのまま放っておけばそのうち分解してなくなってしまうのである。敷地は広いから[*7]、隣近所にも迷惑ではない。私自身は紙袋やプラスチックバッグをゴミ箱代わりにしていたが、むしろ、日本ではゴミとされるようなものも彼らにとって再利用可能な場合が多く、私の「ゴミ」は誰かが綿密に調べて、必要物を取り出すことが多かった。裏面を利用していない紙とか、余り汚れていないティッシューとか、外側がちょっと汚れているけれど未使用のバンドエイドとかがなくなっていくので、ゴミはずいぶん減量するのだった。当時はまだドリンク缶がなく、ビン詰がほとんどだったから、ビンはお金に換えてもらえるということで、誰かが持って行くのが常だった。

サモア独立国に比べて、アメリカ的な物質文化が入ってきているアメリカ領サモアはもうちょっと事態が深刻だったと思う。当時からアメリカ的使い捨ての便利なものが入ってきていて、紙おむつやドリンク缶、ビスケットの袋などが道ばたに散乱していた。家の裏にそれらを集めて捨てている場所があったが、そこもどんどん量が増えつつあった。現代の貝塚である。

1980年代には、ホノルルのダウンタウンにある高層の公営住宅ビル――当時住民の半分以上が東西サモアからの移民であった――の裏にあるかなり広い空き地にあらゆる種類のゴミが散乱しているということが問題となった。住民が高いところからどんどん物を投げるのであるが、ひどいときには空からベッドが降ってきたりするという。高層建築に住むというのも、ゴミをまとめて捨てるというのも島からでてきたばかりの彼らにとっては新しい経験なのだった。やがてベランダには金網が張られて大きなゴミは投棄できないようになった。

ところが1991年のクリスマス近くにサモアを訪れると、空港から市街地へ行く途中のいくつかの村に、ドラム缶を半分に切って作ったゴミ箱がいくつも並んでいるところがあって驚いた（写真11―4）。当時はゴミの収集も行われていなかったと思うが、あとで聞いたところでは、観光開発の一環として行われた美化運動の成果のようだった。ここに紹介する写真は、年代的にはもっと後に撮影したものであるが、同じような仕様のゴミ箱である。

やがて政府がゴミ収集を行うようになった。そのために何軒かの世帯ごとにゴミ集積所が作られた（写真11―5）。それぞれの地域の誰かが日曜大工で作ったようで出来にばらつきはあるが、それなりに役に立っている。

写真 11-4　サモアの村のゴミ箱。2003 年撮影。

写真 11-5　サモアの家庭ゴミ置場。ネズミや虫よけのために高いところに置くようになっている。2003 年撮影。

ゴミ集積はある時期からサモア政府の環境省が行ってきたが、単にトラックで集めて、内陸の方のタファイガタ[*8]というところの集積所に積み上げていただけであった。そのため、悪臭などの環境汚染があり、またゴミ拾いの人々が集まってきてすさまじい状態だったと聞く。

一方日本政府は、太平洋諸国首脳が集まって諸問題を話し合う会議を3年に一度日本に招いて開催することを申し出ていた。PALM（Pacific Islands Leaders Meeting）と名付けられた催しは日本では「太平洋・島サミット」と呼ばれ、1997年以来継続している。2018年に第8回、2021年に第9回が開催されている。その2000年の第2回会議で、廃棄物の問題に取り組むための援助をすることを日本政府は申し出たということだ。その最初の試みがサモアで行われることになったのは、サモアの首都アピアにSPREP（Secretariat of Pacific Regional Environment Programme）というオセアニア各地の政府が合同で作った環境問題に取り組む組織が置かれていたからである。SPREPは地球温暖化も含めオセアニアの島嶼国家が抱えるさまざまな環境問題に取り組んでいるが、そのひとつに廃棄物処理がある。日本からはJICAがSPREPにも、サモア環境省にも人材を送り込み、ゴミ問題の解決に取り組むこととなった。

とりあえずはタファイガタ廃棄物処理場の改良工事を始めたのが、2002年のことである。福岡方式（福岡大学で開発された）という比較的安価で効率のよいシステムをモデルにして、竣工は2005年のことであった。サモア政府に引き渡されたのは2006年である。タファイガタの廃棄物処理システムは、山の斜面を使い、雨水を利用し、自然の空気を通すことでバクテリアの繁殖を盛んにして、ガスを抜きつつ腐らせるという巨大なコンポスターのような装置らしい。[*9]

また、サモアではやがて分別収集が実施されたが、人々が結構熱心に取り組んでいるのを見るのはうれしい驚きだった。1980年前後のサモア人の行動様式を知っている私にとって、予想外の展開だった。考えてみれば、そもそもサモアは村のコミュニティがしっかりしていて、村の地縁合議体がコミュニティのあれこれを決めていく能力をもっている。そこに村ごとの競争意識が刺激されれば、われもわれもと改革に向かって動き出すことが起りうる。どの村も動かず、失敗することもあるのだが、うまくいくとすごいことがおきる。2011年に調査したときには、既にペットボトルを学校で集める試みが始まっていて、中学生たちは家でペットボトルを集めて、登校時にもってくる。こうして回収ができていた。

❖オセアニアの廃棄物処理問題へ

さて、サモアのタファイガタ廃棄物処理施設の完成が日本政府による第一期の協力であったが、SPREPとJICAは協力して、このサモアの成功をオセアニア各地に波及させようとしていた。サモアの実験は成功していたが、他の国にこの経験を生かしたシステムを導入する必要がある。これが次のフェーズである。

2006年から2009年の島サミット間に作られたと思われるJICA製作のパンフレット*[10]によれば、パラオ、バヌアツ、フィジー、ミクロネシア連邦では事業が進みつつあった。また単に装置を作るだけでは駄目なので、装置を動かす人材が必要である。ここから先は主に桜井国俊の報告*[11]によるが、JICAは当初沖縄にあるセンターに人を呼んでトレーニングをする予定であった。しかし、島嶼地域である沖縄といっても、日本の一部であるため、沖縄の経験が経済格差のあるオセアニア島嶼国において必ずしも役立たないかもしれない、という疑問が出て、サモアのSPREP本部にもトレーニングセンターが作られた。また、パプアニューギニアのような大国では、国内にトレーニングセンターが作られている。

2011年から2016年には、J-PRISMとして11カ国(フィジー、パプアニューギニア、ソロモン、バヌアツ、ミクロネシア連邦、キリバス、マーシャル、パラオ、サモア、トンガ、ツバル)のすべてに及ぶ事業となった。この時期は、域内で良い事例を作ったところから専門家を派遣して、他地域に波及効果をもたらす試みが行われたようである。ここではおそらく、環礁のようなところでも廃棄物処理ができるような方法の開発が試みられたかもしれない。桜井の指摘によれば、島嶼国の廃棄物管理の特徴は、最終処分地の確保が難しいこと、これは特に環礁では深刻な問題であろう。また、リサイクルに回そうにも先進国まで送らなくてはならないので輸送コストが高いこと、島嶼経済に必要な観光産業の基盤としての自然の景観がダメージを受けやすいこと、災害の多発による災害廃棄物の処理問題、といったことに集約される。現地では扱えないリサイクル資源を、デポジット制にして、先進国へと返送できるしくみ作りは急務であろう。

現在は、J-PRISM第二期(2017〜2022)である。[*12] 日本が資金提供をしているものの、域内での交流が行われて、域内の知恵を集約するしくみが整いつつあることはすばらしい。また、人々への環境教育は、日本国内のレベルを通り越しているのではないだろうか。未だにレジ袋の有料化などで四苦八苦している日本は、2周くらい遅れている。レジ袋の利用は減っていても、コンビニ弁当も魚や肉の食材も、プラスチック容器に入っており、それらの議論は進んでいない。ここのところの新型コロナの関係で、包装はますます厳重に行われるようになってしまった。

海洋のプラスチック汚染について、彼らは大変敏感だ。サモアでは、レジ袋には生分解性プラスチックのものしか使用できないという法律が、２００６年に制定された。生分解性プラスチックとは、プラスチックであるが、ときを経ると分解してしまって残らない。

サモアで日本の援助を見てきた者として、全くの傍観者であるが、援助としてのハコモノにはうんざりであった。現在、中国政府は大変熱心に建物を建てて、中国政府の資金で建てられたという標識をあちこちに作って回っているが、かつての日本も同じようなことを繰り返していた。日本の援助で１９７９年にアピアの商業地区にできた漁業省の建物は当時としては大変立派であったが、現在は跡形もない。漁業を国家財政に組み入れて盛んにするという方針自体がこけたのではないだろうか。[*13] もちろん護岸工事も災害からの復興も重要ではあるし、役に立っていると思う。しかし、このように、廃棄物処理のような目立たない技術移転や、現地の人材育成や人材交流も含めた、域内全体を巻き込む、きめ細かな援助が行われるようになったことは本当にすばらしい。

＊１：ビキニ、ムルロアほど有名になっていないが、その他の環礁でも核実験は行われている。

＊２：ギルバート諸島は、合衆国が放棄したライン諸島とフェニックス諸島のほとんどの島を統合して独立しキリバス（Kiribati）となった。

＊３：Nasa Global Change of the Planet（2020/6/21 閲覧）

＊４：小林誠（２０１０）「「海面上昇」の真実――進行する環境破壊」吉岡政德・石森大知編『南太平洋を知るための58章』明石書店。枝廣淳子・小林誠（２０１１）『笑顔の国、ツバルで考えたこと』英知出版。

＊５：A.P. Webb and P.S. Kench (2010) 'The dynamic response of reef islands to sea-level rise: Evidence from multi-decadal analysis of island change in the Central Pacific.' *Global and Planetary Change* 72(3).

＊６：小林誠（２００８）「地球温暖化言説とツバル」『社会人類学年報』34巻。

＊７：サモアの土地の所有権は、市街地でも１／４エーカー（約３００坪）以下の面積に分割することは法律で許されていないので、20人以上の大家族でもかなりゆったりとした暮らしである。

＊８：タファイガタは伝承をもつ由緒ある地名であるが、内陸の山間部にあり、植民地時代から長らく監獄が置かれて、囚人と看守以外の住民もいないために、廃棄物の投棄が行われてきたのであろう。

＊９：SPREP & JICA 'Samoa's Tafaigata Landfill Rehabilitation Project in Action' (https://www.sprep.org/att/publication/000439_Tafaigata2006.pdf)（2020/6/22 閲覧）

＊10：JICA 'Our Islands, Our Waste, Our Future: Japan's Cooperation on Solid Waste Management in the Pacific Region.' (https://www.jica.go.jp/english/publications/jica_archive/brochures/pdf/solidwaste.pdf)（2020/6/22 閲覧）

＊11：桜井国俊（２０１６）「太平洋島嶼国廃棄物管理分野での日本の協力 J-PRISM」『アジ研ワールド・トレンド』no.244. 天野史郎（２０１８）『僕の名前はアリガトウ——太平洋廃棄物広域協力の航跡』（佐伯印刷）。天野氏は専門家としてサモア環境省、のちにSPREPでも活躍されたが、そのときのカウンターパートがファアフェタイ（サモア語でありがとうの意味）氏であった。国際協力事業のさまざまな苦労と成功の喜びを知る感動的な一冊である。

＊12：新型コロナの流行を受けて、太平洋諸島の多くは国境封鎖があるなど、プロジェクト自体は遂行のために多くの変更を強いられたため、22年2月終了であったところ23年3月まで期間を延長することとなった。しかし、プロジェクトのトップにお尋ねしたところでは、オンラインを駆使した結果、セミナーには予定を超す参加があったりして、むしろ裾野を広げる結果となった。また期間中に生じたトンガの火山噴火災害の後処理もオンラインで指導ができたということである。J-PRISM の第三期も計画を策定中ということで、技術協力の新しいモデルとして、その他先進国からも熱い視線を浴びている模様である。

＊13：おそらく、当時はアメリカ領サモアのように遠洋漁業をして魚肉缶詰工場を作るといった計画も視野に入れていたはずだが、結局そのような動きは実現しなかった。

QR11-1
『アトールの誕生』
ハレド・ビン・スルタン海洋生物基金制作

第12章　クーデターと民族紛争

オセアニアは太平洋の領域にある島々とオーストラリア大陸を含んだ地理的領域で、太平洋すなわちPacific Oceanはまさに「平和の海」という意味である。この海域にヨーロッパ人として初めて出会ったマゼランが、〝Mar Pacifico〟と名付けたのがその由来という。当然のことながら、太平洋にも台風やサイクロンなど暴風雨が吹きあれることもある。また、1941年から45年までは、太平洋を舞台にした悲惨な戦争が起こってもいる。それより前の時代にも、現地人の虐殺や、奴隷のための誘拐、疫病など、多くの悲劇にも見舞われている。

しかし、そうした事実にもかかわらず、オセアニアには南海の楽園イメージがつきまとっているのはどういうわけだろう。多分、食べるものにあまり困らない（特にポリネシア、ミクロネシアについて）というイメージがあるためだろうか。戦前には、「私のラバさん、酋長の娘、……ヤシの木陰でてくてく踊る」という歌があったが、どうも南洋には、食べ物にあくせくせず、ゆったり気ままに暮らしているというイメージがつきまとうようだ。

と、前置きが長くなったが、本章はそうした楽園イメージに反するクーデターと民族紛争に言及したいと思う。[*1]

❖欧米からの独立

オセアニアの植民地化は16世紀に始まっているが、そこから生じた欧米の暴力から始めたら、またまた長い長い歴史の話になってしまう。ここで扱うのは第二次世界大戦終了後の現代オセアニアに留めたい。しかしそれにも過去の植民地政策が影を落としている場合がしばしばあるので、そこには言及しよう。

オセアニアは世界の中でも独立が最も遅れていたが、１９６２年に西サモアが独立し、その後フィジー（１９７０年）、パプアニューギニア（１９７５年）など20世紀の終わりに向け、次々に独立を果たしていくこととなった。オセアニアの特殊事情は、それぞれの独立が宗主国から勝ち取ったものというよりは、平和裏に独立を促されたケースが多いことにあるだろう。国連信託統治理事会は植民地の独立を勧め助けることをずっと行ってきたが、そろそろその任務の終盤にさしかかっている。現在同理事会が独立を勧告している未達成の地域は17しかないが、そのうちの6地域がオセアニアにある。グアム、アメリカ領サモア、フランス領ポリネシア、ニューカレドニア、トケラウ、ピトケアン[*2]である。

宗主国が国連の後押しの下で独立を促すというケースがほとんどである中、フランスは例外的で、長い植民地としての時間を強調し、歴史上フランスと一体化しているとの主張に基づき、なかなか独立を認めない。アルジェリアもインドシナも戦争を経て独立を勝ち取っているのだ。オセアニアに残るフランスの海外領土ニューカレドニアと海外準県フランス領ポリネシアには独立運動があった。現在鎮静化してはいるものの、ニューカレドニアでは１９８０年代に武力闘争が存在した。一部武闘派はリビアに渡り、ゲリラ戦の訓練を受けたといわれている。１９８４年には首都ヌーメアで太平洋芸術祭の開催が予定されていたが、カナク社会主義民族解放戦線[*3]（Front de Libération Nationale Kanak et Socialiste）が首都に迫る勢いであったために、中止のやむなきに至った、という経緯がある。その後も、ＦＬＮＫＳとニューカレドニア政府（フランス海外領土）との間で、厳しい対立や事件が繰り返された後、次第に融和に向けた話し合いが行われ、１９９８年にヌーメア協定が結ばれた。

１９９８年にチバウ文化センターという大変立派な建物が完成した。国際的に有名な建築家レンゾ・ピアノの設計である（写真12－1）。このセンターで国際会議が開催され、出席した思い出がある。英語での私の発表に、フランス語の同時通訳が入ったのは忘れられない。こんなこと空前絶後であろう。

森の中にそびえるような木材を利用した建物で（しかも中は空調が効いていて、同時通訳のブースもある）、私の知っている南太平洋とは違っていた。チバウという名は、ＦＬＮＫＳの

写真 12-1　チバウ文化センター。2013 年、JOOZLy 撮影。CC BY-SE 4.0

リーダーだったジャン＝マリー・チバウを記念して名付けられた。チバウはもともとカトリックの聖職者であったが、独立運動に入るにあたり聖職をなげうった。彼はフランス政府からも頼りにされたところがあり、とりわけ死後融和のシンボル的存在になったということでも、アメリカ公民権運動のマーチン・ルーサー・キング牧師に似ている。[*4]

ヌーメア協定ではニューカレドニアの自治が大幅に認められ、将来についての住民投票が約束された。2018年、2020年、2021年と3回の住民投票が行われたが、独立は支持されずフランス残留が決まった。カナクが簡単に独立に到達できないのは、彼らは人口の40％弱に過ぎず、フランス系住民が3割程度、太平洋の他のフランス植民地からの移民などもいて複雑な人口構成になっているからである。ちなみに全人口は27万5000人（2016年センサス）。既に複数世代を経ているフランス系住民はカルドッシュと呼ばれ、フランス本国人とは異なる彼ら自身のアイデンティティを追求する人々も存在している。[*5]とはいえ、各地方自治体には、フランスの国旗にならんでFLANKSの旗をならべて掲揚するところが多い。今後の動きにも注目したい。

2000年には、ヌーメアで太平洋芸術祭が開催された。太平洋諸国の人々にニューカレドニアの平和ぶりを見せるという大きな目論見があったと思われる。ヌーメアの街は観光客であふれ、ドライブに出て田舎道を走ると、牛の放牧されている牧場風景なども見られて、まさに平和そのものだった。また、タヒチも独立運動家たちのデモがエスカレートして暴動となった事件があるが、現在は沈静化している。グアムにも独立運動が存在するが、武力衝突は生じていない。

オセアニアでむしろ目立っているのは、民族問題や分離独立運動――これも民族問題の延長上にあるといえるかもしれないが――である。基本的にポリネシアやミクロネシアでは、同じ民族内の権力闘争は存在するものの、諸島内にエスニシティの相違はあまり見られない。民族問題が生じているのは、メラネシアである。メラネシアは諸島毎に独立を勝ち取っているが、それぞれの諸島内には異なるエスニシティの集団が多く含まれた国家形成となっている。

❖3度あることは4度あったフィジーのクーデター

フィジーは、イギリス植民地時代の19世紀後葉から20世紀初頭にかけて、サトウキビ・プランテーションの労働力としてインドから年季契約労働者を導入した。期間を限って帰国していく者が多かったが、それでもフィジーに残留する人々もいた。その結果、独立の頃にはインド系住民とフィジー系住民がほぼ半々を占めていた。その他、ポリネシア系のロツマ島人、キリバスからの移民、中国系、白人などの少数民族が存在した。人々は、人種割で決められた数の議席を人種毎に選挙を行っていて、ほぼ人口比に沿ってはいるものの、フィジー人の議席数は過半数となるように制度設計されていた。

一方、フィジー人は土着の人々（先住民）として、フィジー全土の80％以上にもなる未開拓地を含んだ土地（native land＝原住民地）を、マタンガリという伝統的父系親族集団が集団で所有する仕組みとなっており、これらの土地は売買が禁じられている。フィジー人の多くは、これらの土地で食料生産を行う一方、プランテーション経営者に土地を貸し出して、彼らがインド人労働者を雇用してサトウキビ生産を行う仕組みとなっていた。独立後、インド系の人々が土地をリースしてサトウキビ・プランテーションを営むこともあったが、10％に満たない売買可能な土地を買う以外に土地を所有する方法はないのだった。

　一方で、もともと首長制をもっていたフィジー系の人々の社会は、首長層の人々と一般人との間に大きな差があり、また都市部に住む人々と農村部の人々との暮らしの差も大きかった。インド系の人々の中から商業に従事する人々も出てきて、また少数であるがインドから商人として移民する人々もいて、次第にフィジーの経済界はインド系の人々の手に牛耳られていく傾向にあった。首都スヴァの商店は、インド系の人々の経営によるものがほとんどだった。

　1970年に満を持して独立したフィジーは、高位首長であり著名な政治家のラトゥ・サー・カミセセ・マラ（写真12―2）――植民地時代から活躍した一族の出身で、ニュージーランド、ロンドンと勉学を重ねた――が首相となり、平和に繁栄している国として、太平洋の新興独立国のお手本のような存在であった。フィジーの首都スヴァは当時ホノルルの次に大きな太平洋の都市として繁栄を謳歌していた。確か1979年に、ハワイの東西センターで開催された会議に出席されていた大柄で恰幅のよい同氏の姿を拝見したが、ユーモアを交えつつ自信たっぷりに演説する姿は大変魅力的であった。

写真12-2　カミセセ・マラ。1950年頃、ロンドン大学経済学社会科学スクール提供。版権なし

　そのフィジーで、1987年5月に、若手の軍人将校シティヴェニ・ランブカ（写真12―3）の指導の下にクーデターが起こったという知らせは、世界中を驚かせた。少し前の選挙でラトゥ・マラの指導する同盟党

写真 12-3　シティヴェニ・ランブカ、2016 年。在フィジー・アメリカ合衆国大使館提供。PD

の前に、労働党とインド系の国民連合党が連立を組んで立ちはだかり、ティモシ・バヴァンドラ内閣（バヴァンドラ自身はフィジー系）が誕生した。当時総人口に対するインド系の比率は若干フィジー系より大きかったと記憶している。インド系と手を結ぶフィジー系というのは、ナショナリストのランブカには許せない存在だったのだろう。これに対応して政府が動くが、その改革が不十分だとして、9月に再びランブカはクーデターを起こし、今度はフィジーを共和国にすると宣言する。

　こうして1970年憲法が停止され、よりフィジー系が権力を保持しやすくなるように書き換えた1990年憲法が成立するが、これを後退であると受け止めた国際社会からは大きな批判を浴びる結果となる。また、フィジー系政治家だけが政治を行う結果として政権の腐敗や汚職がはびこる。さらにまた、この間にインド系実業家などを中心とした国外移住が多く生じた。

　1992年頃にサンフランシスコでネパール系とインド系の夫婦にインタヴューする機会があった。第二市民として人権が多く無視されたこと、この間の大変なエクソダスの経験を聞いた。合衆国に受け入れてもらいラッキーだった、親族もオーストラリアなどに出国しているから、もう二度とフィジーに行くことは考えない、と語っていた。2人とも都市在住勤労者という前歴で、ビジネス以外の層からも出国者が相次いでいたようだ。

インド系人材の流出を止め、経済を立て直すためにも、人権に配慮し、政治の独占も避けるような制度設計を行った憲法が1997年に成立することになる。ところが、その憲法の下で選挙を行った1999年選挙の結果、インド系のマヘンドラ・チョウドリーを首相とする政権が誕生する。翌年、チョウドリーと議員数十名を人質とするクーデターが起こる。このときの首謀者はジョージ・スペイトというフィジー系実業家――といっても白人系の血を引き、海外生活が長い――であった。ランブカのクーデターは「無血革命」であったが、スペイトは軍隊の一部を取り込み、かつ私兵集団を立ち上げて、流血に至る「暴力革命」的要素があった。

この国のエスニック構成からして避けようのないことであるが、次第にインド系が存在感を増していくと、先住民たるフィジー系がクーデターを起こし、フィジー系に有利な憲法が誕生するが、それを実行すると国際社会からは批判を浴び、フィジー経済も打撃を受け、その結果、人権に一定の配慮をした憲法ができる、という振り子状の往復運動を繰り返したということもできる。スペイトは軍人たるランブカと違った位置関係にあったし、フィジー社会の変質――砂糖産業から観光産業への転換や階層分化など――は否めないが、市街戦や憲法の停止、首班指名など、ここでもさまざまな事件が起こった後、軍隊が介入し、スペイトは逮捕され獄中につながれることになる。

この陰に軍隊の存在が見え隠れしていたが、クーデター処理で存在感が増していたフランク・バイニマラマ司令官が起こしたのが2006年のクーデターで、これが4回目となった。彼は政権の座を明け渡すよう要求し、自身を首相とする軍事暫定政権を成立させ、それまでのクーデターとは異なり、エスニック間の選挙格差をなくす憲法樹立を目指すと公言した。予定より大幅に時間を超過したため、国際社会では信用をなくして英連邦や太平洋フォーラムからもはじき出され、海外援助も受けられず苦境に立たされた。しかし2013年にはエスニック枠のない選挙を明記した憲法が制定され、2014年には民主的な総選挙が実施されたのである。[*6] フィジーは現在、国際社会にも復帰し経済も立て直し中である。しかし、2018年選挙で選ばれた第一党の党首がバイニマラマで首相、野党党首がランブカというのは、相当な既視感ではある（QR12―1）。2022年12月の選挙では、バイニマラマの党が第一党でありながら、ランブカの第二党が他の党と連立を組み、新たな首相にはランブカが就いた。この2人の争いはまだまだ続きそうだ。

また、選挙問題は解決したといってよいが、先住民優遇の土地所有制度の問題は解決されていない。現在のフィジーの人口は88万4000人（2017年センサス）ほどで、フィジー系が56・8%、インド系は37・5%となっており、インド系の減少はかなりの数に上っている。

私が最初にフィジーを訪れたのは1979年のことで、当時は田舎だった西サモアのアピアからやってきたこともあり、「アッ、信号がある！」「8階建ビルがある！」「タクシーにメーターがある！」と、驚きの連続だった。タクシーのメーターを除いてはアピアでもとうの昔に実現されているが、2017年にスヴァを訪れた際、タクシーのメーターがなくなっていたのは、ちょっとしたショックだった。ただし、フィジー観光の中心ナンディ空港は大変な栄えようで、空港が拡張したことは当然だが、バスターミナルは高級ホテル行きバスで埋め尽くされていた。

❖ソロモン諸島の民族紛争

ソロモン諸島はパプアニューギニアの東に位置する島々からなる。年輩の日本人の中にはガダルカナルというとむしろ知っているという返事が返ってきそうだ。ガダルカナル島は太平洋戦争の際に日本とアメリカの間で激戦が交わされたところで、『シン・レッドライン』でその戦いは映画化されている。

ソロモン諸島は、労働力徴集やブラックバーディング（太平洋の奴隷貿易）の被害に遭遇し、欧米の勝手な植民地争奪に巻き込まれた地域である。北ソロモンは一次ドイツに領有されていたが、19世紀末にブーゲンヴィル島とブカ島を除くすべてのソロモン諸島がイギリスの保護領となった。その後、独立を果たしたのは1978年のことである。一部ポリネシア系のアウトライヤー[*7]を含みつつ、それぞれの島々の中にも言語の異なる複数の部族が存在しており、国内に多様性を含みこんでいる。

太平洋戦争時まで、植民地行政センターの置かれていたツラギ島は、日本に占領され焦土と化した。合衆国軍はガダルカナル島のヘンダーソン飛行場（現在のホニアラ国際空港）を整備し、日本攻略を目指した。そのために多くの現地人労働者を必要として、マライタ島から連れてきた労働者に頼ることとなった。戦後にガダルカナル島ホニアラが首都となり、そのための都市建設に必要となった多くの労働者もマライタ島から供給された。さらに、首都の近代化とともに多くの移民がホニアラ市内に住むようになったし、独立後になるとガダルカナル島の非都市化地域にも、個別交渉により土地を借りたり購入したりして、マライタ人の集落が誕生した。ただしこのような売買・貸借は公式に行われたわけではなく、土地権者すべての合意に基づくものでもなかった[*8]。

私は1985年と1995年の2回、ホニアラに短期訪問しているが、その際に役人などでも、町でサービス業に従事している人でも、ガダルカナル人ではない、という人に多く出会った。その人たちは、マライタのアレアレ人であることが多かった。アレアレはホニアラの観光名物である竹で作ったパンパイプのオーケストラ発祥の地であり、その演奏家たちもアレアレの人々に相違なかった。

１９９８年末から２００３年にかけて生じたいわゆる民族紛争（ethnic tension）は、長期にわたり、ガダルカナルの先住者と移住者（主にマライタ島出身者）の間で生じた武力を伴う紛争であった。賃金労働を求めて地方から異なるエスニック集団が集まってくるのは、メラネシアの首都の何処にも見られる現象である。しかし多くの場合地方からくるエスニック集団は多様な構成のマイノリティ集団であることか普通だが、ソロモン諸島の場合には移住民の多くがマライタ島出身で、ガダルカナル（先住者）対マライタ（移住者）と言う構図が出来上がったのは不幸なことであった。

次第にマライタ人の存在が目立つ事件が生じ、地元のガダルカナル人から見て彼らの傍若無人は許せない、という話になっていった。そうして組織されたのが、イサタンブ自由運動（Isatabu Freedom Movement 以下IFM）である。ＩＦＭにはガダルカナル島南岸エリアの出身者が多かったという。１９９９年頃から彼らは主に島の北部にあったマライタ人の集落を襲撃し、人々に退去を命ずるという行為を繰り返した。避難民の多くはホニアラに逃げ込み、その総数は３万５０００人にも上った。

政府があれこれ行った努力も実を結ばず、非常事態宣言を出すと共に、国際的な支援を要請するに至った。フィジーのシティヴェニ・ランブカ元首相を中心とする使節団の仲介によりここで新和平協定が結ばれるに至った。協定の中では、マライタ人が失った家財等に対する国からの賠償と、マライイタ人がマライタ島へ帰還する等の事項が盛り込まれた。マライタ島への帰還民は2万5000人、ガダルカナル人でも都市から内陸へ逃げ込む人々は1万1000人にも上った。[*9]

しかし事態はここでは終わらず、2000年になって、今度はマライタ・イーグル・フォース（以下、MEF）という武装集団が結成された。MEFはさまざまな勢力の寄せ集めで、統制がとれているわけでもなかったが、どちらかというとIFMに対抗するというよりは、政府に対して多額の賠金を要求するということを主眼としていたようだった。しかし、MEFとIFMが対立するのは必然で、政府も交えた3者は三つ巴の争いを繰り広げ、流血が繰り返された。オーストラリア、タウンズヴィルにMEFとIFMの代表が集まり、タウンズヴィル和平協定を結ぶが、それもやがて無力化し、さらにその分派が覇権を争うというほとんど無政府状態に突入していった。

結局この騒動を収拾したのは、オーストラリア、ニュージーランドをリーダーとする太平洋諸島フォーラムの諸国で、彼らはソロモン諸島支援太平洋地域ミッション（Regional Assistance Mission to Solomon Islands 以下RAMSI）を結成して軍事介入し、武装集団から武器をとりあげ、その他政府部局などにも指導が入り、ソロモン諸島を破綻国家から救ったのである。RAMSIの軍隊の活動期間は2003年から1年足らずの間であった。被害の総計について資料間に相違があるが、ある情報では、数百人の死者、総人口の10％が避難を余儀なくされたという。[*10] QR12-2はRAMSI導入までのおおよその歴史が語られる。このビデオには多くの続編がある。

この規模の民族紛争に比べたらたいしたことではなかったが、2006年にもソロモン諸島では「民族問題」が生じている。このときの標的は中国系の人々である。総選挙の直後、新しく首相となったスナイダー・リニが、中国系のビジネスマンに賄賂を送って票を買ったということが判明し、人々は中華街に押しかけて焼き討ちを行った。中国系の商人たちに搾取されているという意識が人々の心の底にあって、このような事件が生じたといわれている。中国政府は国外退去のためのチャーター便を用意した。このときも海外の軍隊が暴徒の鎮圧に来ている。

しかし、2009年のセンサスによれば、ガダルカナルの人口は1999年の6万人から、9万4000人に増加しており、3000人だった都市住民は1万5000人に増えている。

❖ブーゲンヴィル等分離独立問題

既に私自身の情報収集能力の限られた分野であるのみならず、さらに無知といってもよい地域なので、ここはさっと流してこの章の全体を補っておきたい。

両方ともニューギニア島とその周辺に関わる。

ひとつは、ブーゲンヴィル独立問題である。ブーゲンヴィル島は、ソロモン諸島の最も北西、ニューギニア島の東に位置する島である。北ソロモン諸島として一旦ドイツに植民地化された後、チョイズル島とサンタイザベル島がイギリスの保護領に再編された後も、ドイツはブーゲンヴィル島とそれに隣接する小島ブカ島をドイツ領ニューギニアとして領有し続けた。その後、第一次世界大戦を経て、ニューギニア島のドイツ領がオーストラリア委任統治領となり、第二次世界大戦後は英領パプアも含め、オーストラリア信託統治領パプアニューギニアとなり、1975年にパプアニューギニアとして独立することとなった。文化的にニューギニア島に必ずしも近いとはいえないブーゲンヴィル[*11]は、このとき別途独立することを望んでいたが、結局そういう選択ができなかった。

ブーゲンヴィルでは独立の少し前から、バングナ鉱山（銅、金、銀）の開発が始まり、開発会社は多国籍企業で世界2位のエルティントの子会社であった。利益の多くはパプアニューギニア政府が得ることになり、歳入全体の2割を占めていたが、そこからブーゲンヴィル州政府に入る金額はごくわずかなものに過ぎなかった。しかも、周囲では環境汚染が発生し*[12]、また地主への補償も十分とはいいがたいものだった。住民の不満は次第に高まり、労働者へのサボタージュの呼びかけ、道路の封鎖などが行われた後、ついには1989年になると武装集団ブーゲンヴィル革命軍（Bougainville Revolutionary Army 以下BRA）が組織された。分離独立を標榜するBRAは必ずしもブーゲンヴィル全体から支持を得ていたわけではなく、地域的な立場も異なっていた。さらにパプアニューギニア政府は軍隊を現地に派遣したため、BRAは政府軍との間にゲリラ戦を仕掛けるに至った。BRAも一枚岩ではなかったから、内部抗争も激しかった。10年に及ぶ内戦・混乱の時期は、島外との接触が絶たれ、一般市民にも甚大な被害を及ぼした。略奪、放火、強姦、殺人を含む暴力が充ち満ち、人々の生活基盤は失われてしまった。BRAの装備にはパチンコや第二次世界大戦中の日本軍の残した武器まで含まれており、当然正規軍にかなうものではなかったが、地の利もあってゲリラ戦では負けていなかった。QR12―3は、パプアニューギニア政府とBRAとの間に初回の停戦交渉がニュージーランドで始まった1997年のブーゲンヴィルの様子である。BRAの生みの親フランシス・オナは停戦に反対であったが、沿岸の人々は平和を求めていた。

1998年に休戦合意が成立したあと、多国籍平和監視団が数年滞在することとなった。その後、

2004年には、パプアニューギニア議会でブーゲンヴィルの自治を認める決議がなされ、国際組織や各国援助を受け入れつつ、正常化に向けて動き出している。鉱山開発はストップしたままである。2019年11月には、独立の可否を問う住民投票が行われ、98%が独立を支持した。この投票は政府への拘束力はなかったが、さすがに住民の意志がここまでくると、パプアニューギニア政府も無視できない。現在2025年から2027年の間での独立を前提にそのプロセスを進めている。最後まで停戦に応じず戦う姿勢を見せていた分派の武装集団も現在ではブーゲンヴィル政府への支持を表明している。ブーゲンヴィル自治州の現在の人口は23万4000人（2011年センサス）。

分離独立運動はブーゲンヴィルだけではない。実はあまりニュースが伝わってこないが、ニューギニア島の西半分のインドネシア領にも長い間分離独立運動が存在している。西ニューギニアと呼ばれる地域は、インドネシアの区分ではパプア州と西パプア州となっている。パプアニューギニアの人口が728万人（2011年センサス）に対し、西ニューギニアは436万人（2014年センサス）。

この地域は、17世紀以来のオランダ東インド会社がアジアで培ったオランダ植民地の一部となっていた。オランダはインドネシア独立の際に、西ニューギニアはその他インドネシア地域と文化や伝統が異なるという理由で、インドネシアに含めなかった。西ニューギニアのリーダーたちは1970年を目指し独立準備を行っていたところが、インドネシアが反オランダ植民地主義を旗印に西ニューギニアの領有を主張し、やがて軍隊を送り併合するに至った。これは、オランダ、国連、アメリカ合衆国を巻き込んだ騒動になった。パプア州の人々の間には彼らの民族自決を希求する声も少なからず、武力闘争を含む独立運動が存在している。数々の弾圧にもかかわらず、彼らは活動を継続し、国際世論に訴えようとしているが、一方でインドネシアは海外の報道陣が入ることをできるだけしりぞけている様子である。QR12—4はジャワで起こったできごとを発端としているので、広く世界に伝えられた。

❖オセアニアの紛争

さて、読者はいかなる感想を持たれたであろうか。オセアニアは危険なところだ、というふうに思われる方は必ずしも多くないだろう。世界は戦争と暴力、人権侵害で満ちあふれている。世界各地と比べて、オセアニアはそれほど暴力が多い地域であるということはない。しかし、脳天気な人ばかりが集まっているわけでもない。さまざまな悩みも抱えており、差別や貧困に悩む人々も多い。植民地化や近代化の影響もある。人権侵害を見つめる目は常に必要である。必ずしも数多いわけではないオセアニアの紛争地域についても、目を光らせていただければ幸いである。

＊1：この先の記述に関しては、丹羽典生・石森大知編（2013）『現代オセアニアの〈紛争〉——脱植民地期以降のフィールドから』昭和堂、を多いに参考とさせていただいている。

＊2：後2者について。3つの環礁からなるトケラウはニュージーランドの属領であるが、選挙を行い、自治政府も持っている。人口1400人（2013年センサス）であり、住民投票で独立は望まないという結果が出ている。一方、イギリスの海外領土であるピトケアンは、18世紀末バウンティ号の叛乱事件で有名であるが、一時増加したこともある人口も海外に移民した人が多く、現在は50人程度であり、どうしてこのリストに入るのか理解できない。

＊3：カナクとは、ニューカレドニアの先住民全体を指す。

＊4：チバウはカナク独立運動内部の対立で、1989年に暗殺されている。チバウ文化センターは、フランス政府とFLNKSの融和の印でもある。

＊5：ベネディクト・アンダーソン（白石隆・白石さや訳）（２００７）『定本 想像の共同体――ナショナリズムの起源と流行』（書籍工房早山）は、ナショナリズムの起源として文化（言語）を据える書として取り上げられることがよくあるが、実際の記述はそれほど単純ではない。「第4章　クリオールの先駆者」には、同じスペイン語を共通としながら、南アメリカ大陸諸国が19世紀に次々とスペインから独立を勝ち取っていった理由が考察されている。植民地の常として、クリオール（現地生まれの白人）の役人が本国に登用されることはほとんどなく、ニュースは本国まで到達することがなく、端的にいえば植民地の人々が本国の人々と共同体をなすという想像力をもてなかったことが示されている。ニューカレドニアも役人の多くはフランスから来たテクノクラートで、数年で栄転して戻っていく。今後のクリオール（カルドッシュ）のアイデンティティの動向には多いに興味をそそられていたが、しかしカナクと連帯して独立、というストーリーにはならなかった。

＊6：２０１４年憲法までの簡単な憲法の流れについては、東裕（２０１６）「クーデター後のフィジーの民主化過程」『アジ研ワールド・トレンド』２４４号。

＊7：オーストロネシア人が東に移住していく過程でメラネシアの島々を通り抜けていったのであるが、ポリネシアに到達して定住した後に、また西に戻って住み着いた島をアウトライヤーという。ソロモン諸島内のティコピア島やレンネル島は有名なアウトライヤーである。

＊8：宮内泰介（２０１１）『開発と生活戦略の民族誌――ソロモン諸島アノケロ村の自然・移住・紛争』新曜社。

＊9：Kieren McGovern and Bernard Choulai (2005) Case study of Solomon Islands peace and conflict-related development analysis. *Human Development Report*, UNDP.

＊10：Matthew Allen (2006) Contemporary histories of the conflict in Solomon Islands. *Oceania* 76(3).

＊11：島をつけずにブーゲンヴィルといった場合は、ブーゲンヴィル島ならびにブカ島を含む。

＊12：銅山の開発がしばしば周囲に環境汚染を引き起こすことは、日本でも足尾鉱毒事件で経験済みである。

QR12-1
『フィジーのクーデター文化は終わったのか？』
オーストラリア公共放送、2018 年

QR12-2
『ヘルペン・フレン・ドキュメンタリー 1：
太平洋のある国の再建』
RAMSI PAU、2013 年

QR12-3
『ブーゲンヴィルの和平への試みは今までに
なく近づく』
Journeyman TV、1997 年

QR12-4
『東インドネシアのパプア暴動（分離主義運
動が下地に）』
ドイツ公共放送、2019 年

第13章　オセアニア・アート

２０１９年公開された『アートのお値段』というドキュメンタリー映画は実に興味深かった。原題は *The Price of Everything* というのである。資本主義の進んだこの世界では何でもが取引の対象となりうる。売る人と買う人がいれば、オークションが成立する。サザビーズやクリスティーズというオークションの業者がその場を設定して、最も高値の人が買う権利を得る。株式の取引に似ているともいうが、こちらの方がずっと利殖率が高い。ジェフ・クーンズ作の風船のウサギをかたどった金属製彫刻の持ち主は、１９９１年に94万５０００ドルで買ったが、撮影時（多分２０１８年）には６５００万ドルに値が上がっているという。株で儲けるよりもこちらの利殖の方がずっと効率がいいに違いない。*1

ちなみに、オセアニア・アートは、クーンズの作品ほどの高値はつかないが、文化財に相当するような骨董品的なものに関して、現代でもオークションにかけられ、売買が成立しているのである。サザビーズ、クリスティーズなどの有名な業者も年に数回「アフリカ・オセアニア美術」のオークションを開催している。アート作品は、マオリの緑石のペンダント、武器、木像、ボウルなどさまざまである。安いもので100USドルは下らず、高価なものになると、数百万ユーロもしていることに驚きは隠せない。

本章はそのような、骨董品でもあり、博物館展示物でもあり、アートでもあるようなオセアニア発の作品について考えてみよう。

❖オセアニア・アート、あるいは骨董品、珍品

一方的とはいえ、太平洋の人々とヨーロッパ人との出会いが始まったのは16世紀に遡るが、人々の社会や生活が少しでも知られるようになったのは、18世紀後半にキャプテン・クックがこの領域を探検踏査し、詳細な航海日誌を公開した頃からである。博物学がここで始まったともいえる。この探検踏査の旅には、学者や画家が同行して記録をとり、クックは毎日詳細な日記をつけた。同時に動植物から生活必需品や装飾品に至るまで、さまざまな標本を持ち帰り、やがてそれらは博物館に収蔵されたのである。

クック以降も、探検家冒険家たちが未開地から持ち帰ったさまざまな物質文化の標本は、オセアニアに限らずアフリカや中南米からの事物も含め、博物館や収蔵庫に収められた。当時は異社会・異文化の研究用の標本であり、アートというよりは博物学的な意義が大きかった。英語でキュリオ（キュリオシティ＝好奇心）と呼ぶ珍しいもの、骨董品としても扱われた。学者にとっては研究の対象である一方、好事家は好んでコレクションとした。19世紀の西欧的、古典的なアート概念から外れるこれら

のものは、その新しい美的感覚を愛でる人々はいたものの、アート作品と考えられてはいなかった。

　オセアニアから到来したものとしては、モアイ像（写真10―4、170頁）（イースター島の石像、一定のスタイルの巨大石像が数多く島に存在する）を含めた石像や木彫像（オセアニア各地にそれぞれの様式をもって存在する）、仮面（写真13―1）（メラネシアが有名だが、ミクロネシアにもある）、カヌーの舳先《へさき》や艫《とも》の装飾（メラネシア各地のものが有名）、戦いの盾（写真13―2）（アスマットの盾を始め、そのデザインに特徴あり）や棍棒（写真13―3）（フィジー、サモアなどの棍棒は有名、戦いの道具だった）、儀礼具（アスマットのビジポールなど）、王や首長の位を示すもの（ハワイでは赤と黄の小鳥の羽で作ったケープ、他の場所では王や首長のもちものとされるハエ追い[*2]や杖等）や器《うつわ》類（写真13―4）（食料用の木のボウルやカヴァ用ボウル）、衣類（写真13―5）（樹皮布はオセアニア各地に存在した衣類で、樹の皮を叩き延ばしてつくり、染色や文様などにそれぞれの諸島の特徴がある）、ベルトや首飾り、櫛など数々ある。オセアニアは、４つの文化圏（メラネシア、ポリネシア、ミクロネシア、オーストラリア）からなるとされているが、それぞれに地域文化の広がりは異なっているし、ヨーロッパ人が来る前に地域としてのまとまりが存在していたわけでもなく、伝統文化は多様であった。だからこれらの「もの」には、宗教観念、神話、世界観、生活様式などと併せた研究が必要となる。

　やがて20世紀になると、それらは当時の新しい芸術思想を求める一部アーティストの間でトライバル・アート（ないしはプリミティヴ・アート）としてもてはやされるようになる。ピカソがこれに興味をもったことは有名であるが、同様にシュールレアリスムのアーティストたちも大いに興味をそそられたという。アンドレ・ブルトンもトライバル・アートに言及している。確かに珍しい装飾が施され、写実主義の逆をいくような造形・デザインは、ヨーロッパ人の出会ったことがない様式のアートであり、

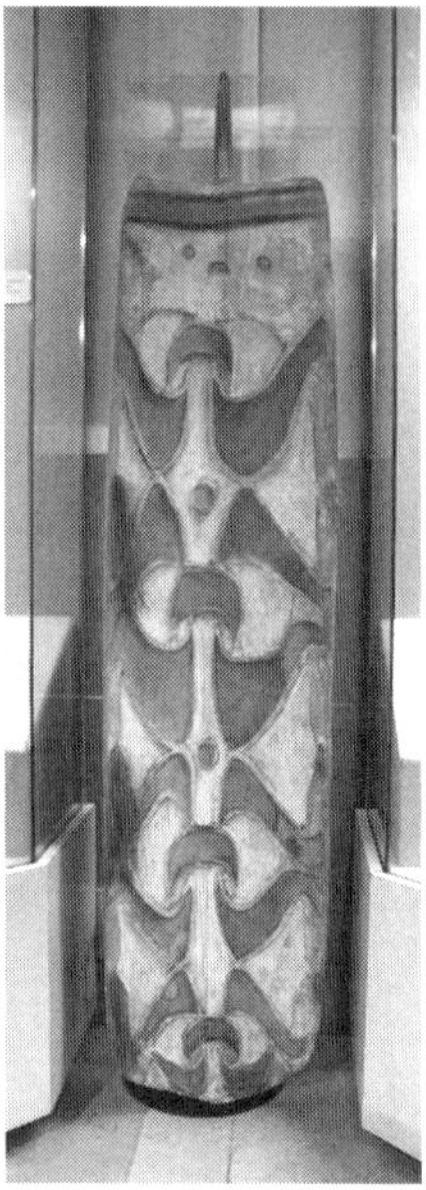

写真 13-2　インドネシア南パプア州アスマット族の盾。ゲント大学民族学資料。2014 年、Diethard 撮影。CC BY-SA 4.0

写真 13-1　ニューギニア・エレマ族の仮面（ベルリン民族学博物館所蔵）、Daderot 撮影。CC0 1.0、PD

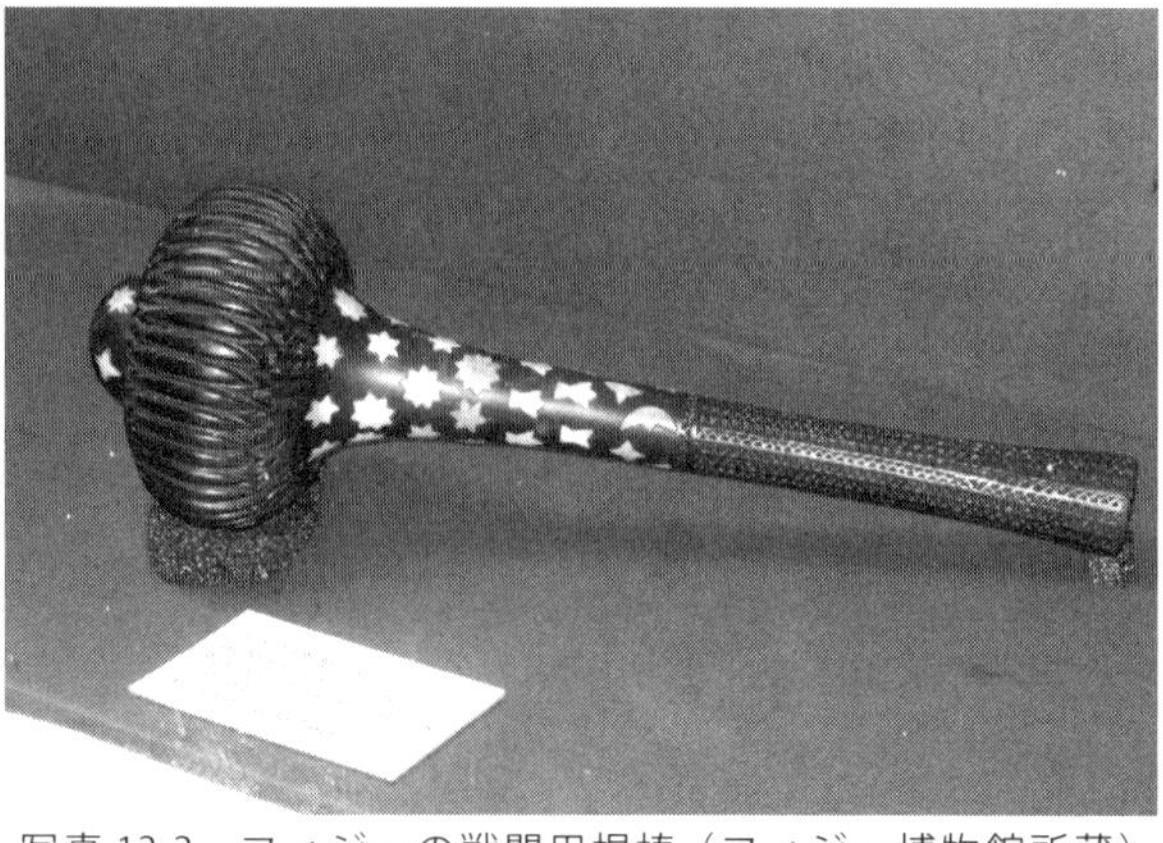

写真 13-3　フィジーの戦闘用棍棒（フィジー博物館所蔵）、2017 年撮影。

写真 13-4　カヴァ飲料を作るサモアの娘たち。中央に見えるのがカヴァ・ボウル。1899 年もしくは第一次世界大戦初期、Malcom Ross 撮影。ニュージーランド国立図書館所蔵。PD

写真 13-5　サモアの樹皮布（シアポ、ニュージーランド・テ・パパ博物館所蔵）。PD

ヨーロッパ人アーティストにとっては衝撃的な出会いであっただろう。

❖古典的オセアニア・アートの世界

オセアニアの骨董品ないしはトライバル・アートというジャンルは19世紀に誕生し、それらに価値を見いだした一部のヨーロッパ人の間で、それを購入する博物館やコレクターが存在するようになり、「オセアニア・アート」のマーケットが生まれた。オセアニア・アートは当時のヨーロッパの美術界では認められない存在であったが、それなりの需要はあり、個人コレクターも存在した。売るために彫像や仮面を求めて、オセアニア（特にメラネシア）の沿岸部から奥地へと旅する冒険者が登場するようになった。

以下に取り上げるマランガン彫り（写真13−6）は、そのような「オセアニア・アート」のはしりである。これは、ニューアイルランド島[*3]に産する彩色を施した透かし彫りの彫刻である。見事な作品は、彫刻として、そのテクニックや様式において、まさにアートと呼ぶに相応しいと思えるが、現地社会でのこの作品の生産は、欧米も含めた我々の世界のアートとはずいぶんに異なる。以下、マランガンの研究を行ったキュヘラーの論文[*4]に基づいて記述する。

マランガンの彫像は、一連の葬儀の最後の儀礼に用いられるが、そのデザインやいろどりには一定の権利を子孫に委譲することを示す意味があり、それを世に知らしめるためにマランガンが開陳される。そして、その後間を置かずにこれは破壊されることになっていた。人々が所有するものは、マランガンそのものではなく、マランガンのイメージであり、そのイメージが親族集団の土地相続などに

写真13-6　ニューアイルランド島のマランガン彫刻（ニュージーランド、オタゴのオタゴ博物館所蔵）。PD

関わっている。1人の人がマランガンのイメージを複数所有するとしたら、マランガンは権利の束のようなものであり、束は分けて相続されるから、別の人の葬儀にはまた別のイメージの組み合わせとしてのマランガンが作られるわけで、二度と同じ彫刻のマランガンは作られない。本来は破壊されるはずであるが、それを破壊するかわりにヨーロッパ人に売ってしまえば、二度とそれが現地人の目に触れることがないのでコミュニティに影響はないと考えられるようになって、マランガンの多くが儀礼終了後にヨーロッパ人バイヤーに転売されるようになった。それらはヨーロッパの博物館や美術館、ならびにコレクターの邸宅や収蔵庫に収められることとなったのである。マランガンを売って得た金銭は、次のマランガンを制作するために使われた。キュヘラーは、この売買は1840年代から始まっていたと推測し、4000体ほど

写真 13-7　トロブリアンド諸島のクラ・カヌー（沖縄海洋博公園海洋文化館所蔵）、2014 年撮影。

がヨーロッパに存在することが確認できるとする。

これだけ数がありながら、同じ物は全く存在しないらしい。コピーするということがなかったということである。ここで注目すべきことは、ヨーロッパの博物館では、ニューアイルランド島で作られていたシンボリックな意味や用途とは全く異なり、彫刻本来の美学的価値でもって讃えられていたということである。

現地の人々にとっては道具であってもそこには心霊と関わる印が刻み込まれていることはよくあることだ。船の舳先や艫に施された像は概ねそうした意味を持っている。トロブリアンド諸島のクラ（第5章参照）（写真13―7）の船にも装飾が多分に施されているが、その文様は意味がある。短い儀礼を行って呪文を唱えることは映像記録にも出てくる。ニューギニアの男子小屋の中の彫像は概ね神像であり、それらはシンボリズムに満ちあふれていた。

ヨーロッパで収集されたコレクションは、あくまでも造形のすばらしさで集められたもので、これらシンボリックなものにまつわる語り、意味、呪文などは物質文化研究の中では調査されていたものの、造形芸術として収集されたコレクションではあまりない。アートの由来として説明されることはあるが、多くは切り離されていることが多かったといえよう。そうした文化的なコンテクストにこだわらずに収集が行われる傾向が強かった。

そして人類学研究者は文化的背景を研究しながらそれらの標本／作品に接するかもしれないが、コンテクストが失われた状態の博物館展示は一般人にはどのように見えているのだろうか。天理参考館の常設展のひとつ「パプアニューギニア・精霊宿る仮面や木像」（QR13―1）をご覧いただきたい。ナレーションでは「何ともユーモラスな仮面や木像」と述べているが、そこまで神聖性がはぎとられてしまっているのに驚いた。実は部族も背景も異なる木像群ではあるが、これだけ集まると、何となく荘厳な気分がしないだろうか。全体に暗い照明はその気分をかき立てる。しかし、コンテクストを剝奪し、解釈の余地を広く残すことこそが、植民地化と大いに関わるところでもある。オセアニア・アートは、オセアニアのものではなく、ヨーロッパ人のものなのだ、というテーゼも成り立つ。オセアニア・アートの名の下にカテゴリー化し、収集したのはヨーロッパ人なのだから。

❖博物館とオセアニア・アート

これらの骨董品（珍品）は20世紀の始まりを迎える頃から、次第にアートとして見なされる局面が増えていった。しかしこれが完璧にアートであると今日でも考えられているかどうかは難しい。トライバル・アートがどのように扱われていったかを、フランスに例をとりながら考えてみよう。以下は、パリにあるケ・ブランリ博物館（非ヨーロッパ世界のアートを展示する博物館）のHPに書かれている発展の歴史や、その他の情報をまとめたものである。

非ヨーロッパ世界からの収集品のために、1878年にトロカデロ宮の中にトロカデロ民族誌学博物館が設立された。この博物館は名称の示す通り、民族学、民族誌学、あるいは人類学的な研究を目的とした博物館で、世界各地に派遣された調査団等の持ち帰った資料（標本）が次々に集まり、また集めようとした結果、コレクションは倍増していった。1907年にピカソがここを訪れたときには、湿気が高く腐敗臭が鼻をついたというので、管理は行き届いていなかったようだ。しかしフランス各地のローカルな博物館にも同様に収集品が集まるようになり、それらもトロカデロに集まってきた。もともとトロカデロ宮は万国博覧会のために建てられたのであるが、1937年に計画された新しい万博のために老朽化した建物を撤去し新しく建築することとなった。同じ場所に建てられた建物はシャイヨー宮という。その中にトロカデロにあった標本が移されて人類学博物館が設立されたのである。ここは博物館であると同時に人類学の研究所も兼ねていて、CNRS（国立科学研究センター）の一翼を担うものとなっている。

一方、海外植民地からのコレクションを中心に、1931年に開催された植民地展覧会の展示物をもとに1935年に海外フランス博物館が設立され[*5]、1961年にはアフリカ／オセアニア・アート博物館と改名した。さらに1990年にはこれが国立となっている。ここは明かに人類学的研究というよりは、アートとして鑑賞するための博物館であったと思われる。

さらに政府が大がかりにこれらの収集物を再編し設立したのが、ケ・ブランリ博物館である。ここは、国立アフリカ／オセアニア・アート博物館が母体となっているとはいえ、その収蔵品の多くは人類学博物館から移管されたものである。非ヨーロッパ世界のアートとしてこれらの収集品を展示することと、その研究を行うという二重のミッションを自らに課している。ケ・ブランリ博物館は一度訪れただけだが、地域別展示（従来の民族学、人類学博物館的展示）と共に、地域別の壁を取り払っていくつかのカテゴリーに分けて展示することも行う一方、時宜に応じたさまざまの特別展も行われている様子だった。

オセアニア研究を行っている日本人の同僚と面白い会話を交わしたことがある。この同僚は、ケ・ブランリ博物館は大阪にある国立民族学博物館（以下、民博）と同じだというのである。同じだというのはちょっと言い過ぎで、民博は地域区分が主となっていて、ケ・ブランリと比べたら数倍の展示スペースをもち、一応人類学や文化史学の成果にそった展示となっている点で大きく違う。しかし、おそらく一般の方が見たら、同じに見えるかもしれない。民博は実は、訪問者がかならずしも多くなく、増やそうといつも努力しているが、目立って増えているわけではない。吹田市の千里万博公園内に位置し、大阪市の中心からも遠く、駅からもそれほど近くないというデメリットと格闘している。一方ケ・ブランリはパリの中心部シテ島の中に位置していて交通の便は申し分ない、という側面がある。しかし同僚は立地とは違う意見をもっていた。同じものを展示しているのに客の入りが違うのは、あちらはアートで、民博は民族学だからだ、アートだから人々が押し寄せるのだ、という。

２０１４年に日本文化人類学会が主催して、国際人類学民族学会議の中間会議を日本で開催した。そのときに国立新美術館（六本木）にて民博の収蔵品を美術館のキュレーターが企画して展示する『イメージの力――国立民族学博物館コレクションにさぐる』展も開催された。

民族学博物館の人々と初日に会ったところ、地域という枠を取り払った展示が実に新しい息を展示物に吹き込んだ、と感心していたのが印象的だった。いつもの民博の入りと比べたら結構な観客動員力であったという。しかしその後、同じ展示が民博で特別展となったあと、国内何カ所かで巡回展となったが、東京ほどの入りはなかったらしい。もちろん、立地の問題もあるが、民族学資料をアートとして見る視点が、まだ日本には育っていないということなのではなかろうか。

人類学ではアルフレッド・ジェル以来、[*6]アートの概念が広がり、アートが人類学の研究対象となるようになってきた。グローバルには多文化主義がアートの分野にも持ち込まれて、アートの概念の拡張は美術史などアート研究の分野にも及び、従来より格段に研究対象は広がっている。アジアの伝統的アートの愛好家がいたり、オーストラリア・アボリジナルの絵画や染物が高値で取引されたりするようになってきた。このようにアートの枠組みを広げていく世界的な潮流は、日本全体ではまだないが、東京には一部入ってきている。国立新美術館で開催された２００８年のアボリジナル現代アーティスト、エミリー・ウングワレー展は結構な入りであった。しかし全体的に見れば、まだ日本は西洋美術史で名の知れたモネやヴァン・ゴッホ、フェルメール等の展覧会や、ルーブルやエルミタージュ、オルセーなど有名美術館からの出展は確実に観客動員できるが、非西欧のアーティストは人々の視野に入っていない。[*7]残念なことだ。

❖日本のオセアニア・アートのコレクター、今泉翁の夢

2000年頃に都立大学大学院で非常勤講師を務めたとき、トーマスの『オセアニア・アート』[*8]を教科書とした。その頃、多分山口昌男氏にご教示いただいたような気がするが、埼玉県鶴ヶ島市の教育委員会が篤志家から寄贈を受けて、オセアニア・アートの膨大なコレクションをもっているとの情報を得て、大学院生を連れて見せてもらいに出かけた。鶴ヶ島市は寄贈を受けて市立の博物館を建設する動きがあったが、市長の交代に伴い、それが実現できなくなった。廃校になった小学校にオセアニア・アートの作品を収蔵してあり、見たいと希望すると、教育委員会の職員が鍵を開けて見せてくれるということになっていた。

そこでアポをとって出かけたのであるが、その膨大な作品群に院生ともども圧倒されたのをよく覚えている。アスマットの盾は数限りなく置いてあり、またビジポールも何本も無造作に床にころがっていた。マランガンもあったし、樹皮布でできたお祭りの仮面もあった。トーマスの本に出てくるアイテムの実物がほとんど見られるのである。ただし、中心はメラネシアのアートであり、ポリネシアは少しばかり、ミクロネシアは全くなかったように記憶している。

これらを寄贈した今泉隆平という実業家は、新潟県塩沢町（現南魚沼市）の出身で埼玉県在住の牧場経営者であった。ここは、今泉のためにオセアニア・アートの収集のエージェントとなった大橋昭夫[*9]の体験から抽出する。大橋はパプアニューギニア政府から委託を受けて、1983年から1986年の間神保町でギャラリー「パシフィックアーツ」を営んでいた。1975年に独立したばかりのパプアニューギニア政府は、文化財保護のために美術品の輸出を禁じていた。しかし一方で、特に収入の

写真 13-8　アスマット族のビジポール（インドネシアパプア領）、（ニューヨーク、メトロポリタン美術館）、2010 年、olekinderhook 撮影。CC BY 3.0

あてのない人々の間からは輸出再開が望まれていた。そこで政府は各村の文化財に相当する美術品をリストアップした後、美術品の輸出を政府の管理下で行おうとした。その政府の意図の中で東京で市場開拓をするための人材として大橋がスカウトされたのである。

今泉はパシフィックアーツを何度か来訪した後に、自分の出身地にコレクションを寄贈する目的でオセアニア・アート（パシフィック・アート）を買い求めたいので協力して欲しいと依頼したということである。今泉は当時80歳にならんとする年齢であった。大橋は今泉の代理人として、パプアニューギニアの主としてセピック川流域の村々を訪問して、直接買い求め、またパプアニューギニア各地でギャラリーを経営するアート・ディーラー、さらにオーストラリアのディーラーとの取引や情報交換をしながら作品を集めた。その努力は大変なものである。また先に述べたサザビーズやクリスティーズのオークションで求めたものもあるという。翁が亡くなった1997年までの11年間、大橋の粉骨砕身の努力で、今泉コレクションができあがった。今泉翁は出身の新潟県塩沢町に町立今泉博物館も建てて、そこにオセアニア・アート作品6480点を納入した。ごく一部が塩沢町の寺にあるが、それ以外の1725点が鶴ヶ島市に寄贈されたものである。

私たちが訪れたとき、鶴ヶ島市教育委員会の職員たちの間では、そのうち博物館が建つのではないかという期待が消えつつあったように思う。それでも国内で展覧会を開催したいという申し出に応じて、作品を貸し出すことをしたり、国際交流としてニューギニアの都市（確かマダンかウェワクだったと思う）と姉妹都市の契りを結び、現地に子どもたちを送ったり、ニューギニアからの客人を招いたりしていた。また、2月の週末に子どもたちを集めてスネークダンスなどの催しをするというので、訪問したこともある。そのときはコレクションを自由に見学できた。

しかしついに、湿気や虫害のために小学校の校舎で作品を保管するのが限界に達し、作品は他に設備の整ったところに寄贈することとなった。2009年には、天理大学（467点）、南山大学（168点）、早稲田大学（1080点）のそれぞれに作品を譲与した。多分あれだけの量の作品を1機関ですべて引き受けることは難しく、分割という結果になったのであろう。

一方の南魚沼市立今泉博物館（旧塩沢町立）は、民博よりさらに交通の便が悪く、知っていても訪れる人は少ない。オセアニア・アートの専門家がいないようなので、管理している側もおっかなびっくりのところがあるのではなかろうか。ホームページで見るところ、次第にオセアニア・アートの展示場は縮小しているように思う。2012年に今泉博物館は今泉記念館と名を変え、1階は道の駅、2階がアートステーションとなった。常設展として棟方志功の作品展示があり、2022年、今泉コレクションは「南国の摩訶不思議な世界」として、6月15日から11月6日までの開催となったが、毎年ほぼ同じカタチである。

今泉翁の夢はまだ志半ばである。しかし、海外のコレクションと比べて、今泉コレクションは勝るとも劣らない。素人目ではあるが、私が見たところ、オセアニア・アートに関してはケ・ブランリよりも優れたものを数多くもっているのではなかろうかと思う。地の利に恵まれないことはある。しかし、多文化共生の世の中なのに、内実は欧米以外の異文化の良さになかなか目を向けてきていないことが、こんなところでばれてしまう。アートは高尚なものではない。子どもから大人まで、異文化の異なる目でものを見ることを楽しんで欲しいと思う。

❖オセアニア・アートの新たな展開へ

今回は、オセアニア・アートとして、今はもう作られていないような骨董的なアートについて述べることに集中してしまったが、この中にはヨーロッパ人バイヤーが活躍するようになってから作られたものも実は含まれており、それがやがてツーリスト目当てのお土産生産につながっている。また、ヨーロッパ的な絵画・彫刻の技術やコンセプトを獲得して、伝統文化との狭間で全く新しいアートを造りだそうとしている人々もいる。それらについては次章に続く。

＊1：とはいえ、監督のナサニエル・カーンはそのようなアート界の狂騒をどこか冷たい目で見ている。アーティストは多くの人に見て欲しいと思うので、美術館の方がいいという人もあるが、サザビーズのマネージャーは「ふん、あれは墓場よ」という。

＊2：お坊さんがもつ払子（ほっす）のような形状。実際にハエを追う機能があるわけではなく、地位を示すものとなっている。

＊3：ニューギニア島の東に位置し、現在は独立国パプアニューギニア、ニューアイルランド州。ドイツ領であったが、第一次大戦後はオーストラリアの傘下に入り、パプアニューギニアとして1975年に独立。

＊4：Susanne Küchler (1987) Malangan: Art and memory in a Melanesian society. *Man NS*. 22(2) : 238-255.

＊5：フランスの植民地、海外領土のことである。海外県や領土からの事物を展示するのが、海外フランス博物館の目的だった。

＊6：Alfred Gell (1998) *Art and Agency: An Anthropological Theory*. Clarendon Press. 遺作として出版された同書は、人類学的アート研究の一時代を画するテキストとなった。

＊7：福岡アジア美術館を訪れた際には北野武展が開催されていた。特別展のチケットを買うと、常設展のアジア人作家の作品展にも入場可能であったが、武展は大入りであるのに、常設展を訪れる人はほとんどいなかった。

＊8：Nicholas Thomas (1995) *Oceanic Art*. Thames & Hudson.

＊9：大橋昭夫（2005）「現代文明への警鐘——鶴ヶ島市「オセアニア・コレクション」の意義」埼玉県鶴ヶ島市教育委員会編『オセアニア美術にみる「知流」を超えるもの』里文出版。

QR13-1
『パプアニューギニア・精霊宿る仮面や木彫』天理参考館

第14章　オセアニアの現代アート

前章は古典的なオセアニア・アートについて書いたが、本章は今を生きるオセアニアの人々のアートへの取組について考えてみたい。1972年に始まった主としてパフォーミング・アーツ（歌やダンスなどの芸能）の祭典であった太平洋芸術祭（第1章参照）は、第7回（1996年）の西サモア大会から、視覚芸術（いわゆる絵画や彫刻などのファイン・アート）の展示を加えた。ハワイやニュージーランド、タヒチなどでは、来島した欧米人のアーティスト*1がさまざまな絵画を中心にアート活動を行っていたが、現地の人々に油絵や西欧的な彫刻が広まるのはずっと後のことである。中でもニュージーランドでは、マオリがもともと行っていた木彫は伝統文化として継承されていたが、第二次世界大戦の前から、おそらくはマオリ教育を担わせる目的でマオリ美術教師の養成が始まり、伝統文化を加味した彫刻作品が作られるようになっていた。

戦後、1960年代にナイジェリアからパプアニューギニアに移ってきたジョージナとウリ・バイエル夫妻は、ポートモレスビーのパプアニューギニア大学で教え、学生たちにアート活動を促すと共に文化センターを学内に設立し、さらにそれはやがて国立アート・スクールへと展開した。Timothy Akis や Mathias Kauage などのアーティストがそこで育っている[*2]（アート作品はウェブサイトに掲載されていることが多いが、コピーライトの関係で即時に読者が見られるようにすることが難しい。読者自身が検索できるよう、以下アーティスト名の初出にはローマ字綴りを掲載するのでググってみていただきたい）。

そのほかに、おそらくオセアニア現代アートの台風の目は、フィジーのスヴァにある南太平洋大学オセアニア・アート文化センターと、ニュージーランドの主にオークランドを中心としたオセアニア系移民のアーティストたちがつくるタウタイというNGOを中心としたアート活動などをあげることができる。さらに2016年に開催されたグアムの太平洋芸術文化祭で視覚芸術の展示はかなりの規模であった。その他の諸島からも多くの出品があり、確実に発展している様子が見て取れた。

それらの全容について述べることは私の能力を遥かに超える。ここはとりあえず知っている範囲内で書くことをお許しいただきたい。

❖ユキ・キハラとそのアート

アーティストの Yuki Kihara とオークランドで会ったのは2008年の秋である。ニューヨークのメトロポリタン美術館が彼女のセルフポートレートを3枚購入し、それをもとに単独の展覧会「シゲユキ・キハラ――生きる写真」が開催されるので彼女はそれに出発する直前であった[*3]。

彼女の父は日本人の青年海外協力隊の元隊員で、母はサモア人である。二人が出会ったのはサモアで、帰国後結婚して家族としてインドネシアや日本にしばらく住んでいた。その後、父は建設会社の社員として再びサモアでODA関係の仕事をするようになったため、一家はサモアに移住した。実はユキの正式な名前はシゲユキであり、彼女はトランスジェンダー[*4]である。多分私はサモアに調査等で行った折に、シゲユキ少年と会っていたと思うが、キハラと聞いてすぐその記憶と結びつかなかった。私がオークランドで会ったときには、既に身なりは女性そのものであった。ファアファフィネ（サモアの男性トランスジェンダー）がいかに差別されたか、という話を聞かされた。ちょっとでもその気配があると、両親は殴って、許さないぞと怒鳴ったという。ファアファフィネに対する態度は家庭毎に違うし、一般的にはサモアの方が日本よりはずっと差別は少ないように思うが、ユキにいわせるとそんなことはないらしい。

アーティストとしてのユキの存在は、それ以前から目立っていた。2000年に入ってからしばらくニュージーランドの古文書館などで調査をしていて、古文書館の閉まる土日には、ウェリントンにあるテ・パパ博物館や近郊のポリルア市――マオリも含めポリネシア人の多く住むベッドタウン――にあるパタカ美術館などを訪れており、ユキの活躍ぶりは知っていた。当時彼女はサモアの神話伝承を演じるセルフポートレートなどを発表していたが、メトロポリタン美術館の購入となった連作写真「ファアファフィネ――女性らしく」は大変衝撃的内容であった。自らを被写体とする、いわば森村泰昌ばりのものだが、森村は演じるということを最大限生かした作品を制作するのに対して、キハラのは自らの裸身を見せることで、逆にセクシュアリティの虚実を考えさせるものとなっているところが対照的である。[*5]

最初にユキに会ったとき、本業はファッションショーの企画運営だといっていたが、その後おそらく、アートに専念するようになったと思われる。写真の他にパフォーマンスもやっていたが、その後ビデオや特殊カメラの撮影、コラージュ、リサーチと組み合わせた手法を用い、植民地主義、レイシズム、アンチLGBTQに対する批判、とパンチを効かせたアート作品を作る。いつも新しい企画や手法を考えていて、それを着実に実行しているところが実にすごいと思う。2回目か3回目に会ったとき、シゲユキというと男だと思われてしまうのが心外だというので、それならユキと名乗ったらどうか、シゲユキはどう考えても男性の名前だけれど、ユキは反対に男性にはない名前だから、と説明してあげたら、それ以後できる限りユキと名乗るようになったようだ。

ユキはほとんど日本語ができず、日本文化についても日本好きの外国人が知っている程度しか知らない。しかしある意味、半分日本人であることを誇りとしているところがある。日本に来て滞在し、もっと日本を知りたいと思っているが、国際交流基金の公募に応募しても、里帰り目的の日本人とし か思われず、なかなか資金が調達できないという。そして日本で展覧会などに招聘されないことに失望している。ヨーロッパ、オーストラリアなどからは度々お声がかかり、上海、台湾などでも出展したり、招かれたりさまざまな受賞をしている。2022年のベネチア・ビエンナーレには初の太平洋系のニュージーランド代表としての参加を実現しているのに、である。

日本の展覧会が、アートとしては大変保守的で、著名な欧米系のアーティストに偏っているのは残念であることを第13章で述べたのであるが、これは企画する側にも、展覧会に行く側にも冒険心がなく、どんどん新しいものを取り込めない結果となり、日本社会の内旋状況[*6]（インヴォリューション）を反映しているように思う。

ユキは長年あたためていた、樹皮布[*7]（タパ）で着物を作るという日本・サモアの文化融合を考えた「サーモアの歌」[*8]という作品を完成させ、2019年11月30日〜2020年1月21日にニュージーランド、ドネーディン市のミルフォード美術館にて展覧会（QR14―1）を行った。

これは5枚の着物の連作となっているインスタレーションで、確かに日本の着物デザインの常套とサモアのデザインとを組み合わせ、その他サモアの家や海の生物などを加えた絵柄となっている。その後彼女からもらったメールによれば、この作品は多くの引きがあって、パタカ美術館で展示後、台湾でも展示が行われるはずだが、日本での展覧会の見通しはないとのことだった。しかし、改稿中の2022年11月、ググってみると、国際芸術祭「あいち2022」で10月10日まで『サーモアの歌』の2作目Fanua（大地）が展示中だったようだ。多分、ヴェネチア・ビエンナーレ[*9]と重なって、私に知らせるどころではなかったのかもしれない。

❖ニュージーランドのオセアニア系移民アーティスト

長らくサモアとその移民コミュニティを含めたグローバル・サモア世界の儀礼交換を私が研究してきたことを知っている同僚たちは、私が最近オセアニア系移民アートについて研究していることを知らないかもしれないし、知って驚くかもしれない。その理由は、もともとアートに興味をもっていたということもあるが、サモア人との長い付き合いの中で、儀礼交換の呪縛に囚われていないアーティストたちと出会うことが新鮮であったからである。多くのサモア人たちは、サモア人であろうとすると結局儀礼交換に参加せざるを得ず、その結果移民側からは多くの持ち出しとなるのであるが、アーティストは別な形でサモアの伝統や文化を考えている、というところが新鮮であった。ユキはとりわけその典型かもしれない。儀礼交換を介して本国とつながっていると本国の社会制度や首長制の仕組に絡め取られていくのであるが、現代アートにこだわる限り、伝統を取り入れた創造は本国とは一線を画す移民のアイデンティティであるといえるかもしれない。

ニュージーランドのオセアニア系アーティストたちの活動が活発化してくるのは、1980年代の終わり頃で、少しずつアート作品を個別に作る人々がいたが、それをネットワーク化しようとしたのが、Fatu Feu'u というサモア系アーティストである（写真14―1）（QR14―2）。

さまざまな悩みを抱えながらアート活動を行っている仲間を募り、タウタイ（Tautai）という団体を作った（HPのリニューアルで、アーカイヴ化されてしまったが、このアーカイヴの中にアーティスト名で検索・閲覧ができるサイトがある）。タウタイはオセアニア系のアーティスト誰もが参加可能で、メディアや流派を問わず会員となれる。展覧会の広報・情報交換や、グループ展の企画などを行い、高校生や大学生を対象にワークショップを行うという活動もしている。最初はなかなか運営も苦しかったと思われるが、次第に会員もサポーターも増え、存在感を増してきている。オークランド市で3～4月頃に開催されるパシフィカ・フェスティバルへも、タウタイ・ネットワークでつながる太平洋系アーティストらの参加や、共同作業が存在している（写真14―2）。2019年には念願のオセアニア系のディレクターを迎え、同年3月より、第一金曜日のセミナーを行うようになったし、2020年にはオフィスの隣にタウタイ・ギャラリーがオープンした（QR14―3）。オープニングのビデオには当時の首相アーダーン氏の姿を見ることができる。

写真 14-1　オークランド大学内ファレ・パシフィカに立つ「トア・パシフィカ」（太平洋の勇者）、ファツ・フェウウ作品。2008 年撮影。

写真 14-2　オークランド工科大学南キャンパスにて、元は 2009 年のパシフィカ・フェスティバルのために作られた太平洋系彫刻家の合作。2012 年撮影。

最初の頃からのメンバーには、Felipe Tohi（彫刻、トンガ）、John Pule（絵画、ニウエ）（QR14―4）、Michel Tuffery（絵画、彫刻、サモア＋タヒチ＋白人）、Jim Vivieaere（絵画、キュレーション等、クック諸島、2011年没）などがいる。

それぞれのアートはさまざまで、一筋縄でとらえることは難しい。現代アートといっても、アヴァンギャルドというよりは、現在進行形のアートという意味だが、いずれも写実やリアリズムの作品ではない。どれもがアイデンティティに大きく関わり、出身の諸島やオセアニアの造形とデザインにどう向き合うかが課題となっている。

ジョン・プレは幼くして親に連れられニュージーランドに移民し、オークランドで幼少期から青年期を過ごす。アングリー・ヤングマンの時代を経て、出身のニウエ島の樹皮布のアートを知り強く打たれ、自らもそれを現代化した絵画の世界に入っていく。ニウエの樹皮布の生産は、既に20世紀になってから行われておらず、彼が最初に見たニウエの樹皮布は民族誌書籍の写真であった。後に、世界各地の博物館に保存されているニウエの樹皮布を、人類学者ニコラス・トーマスと共に訪ねる旅をし、書籍として出版している。[*10]

トンガ出身のフィリペ・トヒはニュージーランドにやってきて、非熟練労働に従事したあと、その木彫の才能を認められて、マオリのアートセンターで講師をしたりしてから、アーティストとして認められるようになった。しかしトンガ文化の探求に目覚め、帰国して、トンガなど周囲のポリネシア建築の要であるヤシロープで柱や梁を縛るララヴァ（写真7―6、123頁）の技術を学んだ。その後、ララヴァを使った創造豊かなアートを次々に発表して注目を浴びることとなったのである（写真14―

写真 14-3　ファオネルア・コンベンションセンター正面に立つ「ヴァイアカリア」（ヌクアロファ、トンガ）、フィリペ・トヒ作品。2012 年撮影。

3）。

第一世代のオセアニア・アーティストは、独学で作品を作ったものだが、その後の世代は移民二世も含め、ニュージーランドでアートの高等教育を受ける者も多く、その多くは諸島の伝統文化からはやや距離を置いてきたように感じられる。また差別や植民地主義、社会正義といったテーマが増えてきている。例えば、オークランド工科大学大学院在籍中の John Vea はトンガ出身の両親のもとニュージーランドで生まれた。パフォーマンス、インスタレーション、ビデオなどを用いた社会派のアーティストで、太平洋諸島から導入された季節労働者（フルーツもぎなどの農業に従事する）を巡るアート作品を発表している。

また、オタゴ高等工業専門学校で教える Graham Fletcher（絵画、サモア＋白人）は、クラシックなオセアニア・アートの作品が飾ってある、いかにも白人中産階級らしい家の内部を描いた「ラウンジルーム・トライバリズム」という連作を発表している。場違い感と、オセアニア・アートの脱神聖性への悩ましい思い、そして何だか今でも漂うマナがない交ぜに感じられる不思議な絵である。彼とオセアニアとの距離感は例えば第一世代のフェウウとはずいぶん異なる。

❖フィジーのレッド・ウェーヴ運動

南太平洋大学で人類学を教えていたEpeli Hau'ofaは、オーストラリア信託統治領パプア（現パプアニューギニア）で宣教活動に従事していたトンガ人の両親の元に生まれた。ある程度の年になって、両親がトンガに帰るという話をしていて、初めて自分がトンガ人であることを自覚した、という国際派オセアニア人である。世界各地の大学で教育を受け、白人女性と結婚し、弟はパプアニューギニアの公共放送で働いている。亡くなったときはフィジーで市民権を得ていた。

彼はトンガ政府で働いた後にフィジーの南太平洋大学で教鞭をとり社会学や開発学を教えているうち、1997年にオセアニア芸術文化センターのセンター長となった。それ以前から、オセアニアの新しい連帯と統合についての構想をあたためていて、1994年に『現代パシフィック』誌に書いた「我らが島の海」という論文[*11]にその思いの丈をぶつけていた。彼が論じたのは以下のようなことである。オセアニアはほとんどが海で、各諸島に分散して住む人々はグローバルな政治権力とは無縁の暮らしを営んでおり、大国の思惑の中で植民地主義の下に右往左往せざるを得なかった。それというのも狭い領土が拡散して存在していたからである。島々を線で結ぶ限り絶望的にならざるを得ないが、むしろ我々の領域は海であると考えればよいのではないか。領海をすべて併せれば、相当に広い領域がカバーできる。そこに現在のオセアニア諸国が力を合わせてひとつの国を作れば、我々の資源も力も相当のものになるはずである。というのがその趣旨であった。

2003年に日本オセアニア学会の創立20周年記念シンポジウムに招待された同氏は、オセアニア芸術文化センターの設立の意図と現況に関する熱意に満ちた講演を行った。同じ内容でオセアニア学会誌に寄稿してくれてもいる。[*12] 彼は新しいオセアニアのためにこのセンター設立を行ったという。すなわちオセアニア全体がワン・ネーションとなるためには、お互いに共通するものを作り出すことが重要な鍵となる。そこで、アートを通じてオセアニア全体のアイデンティティを作ることはできないか、と彼は考えたのである。[*13] このセンターはアーティストの養成をしていて、学生はもちろんであるが、学生以外の人々も参加できる。絵画に関して、画材はセンターで用意するが、参加する人は特定の地域のアートではなく、オセアニア全体を思わせるようなアートを制作することが求められる。自分の背負う文化を描いてはならず、オセアニア的な創造を行わなくてはならない。パフォーミングアーツも行われているが、ダンスにしても特定の島々のダンスの所作だけを行うことは禁じられているのだ。

まずこのセンターが有名となったのは、絵画と彫刻の作品であり、これはRed Wave Collectiveと呼ばれた（QR14―5）。この活動について、同志社大学の渡辺文が博士論文のために詳細な研究を展開している。[*14] ただし残念なことに、ハウオファは2009年1月に亡くなってしまった。アート・マネジメントという裏方は実に大変な仕事である。単にアーティストを勇気付けてアドバイスをするだけでなく、展覧会をセッティングし、作品が世に出て、アーティストがそれなりの評判をとり、生活ができるようにしなくてはならず、センターの場合には画材の供給も考えなくてはならなかった。現代に生きるアーティストをバックアップするにはそのような仕事がつきまとうのである。アーティストも食べていかなくてはならない。ハウオファにはいろいろな批判もあるだろうが、もともとは研究者で作家であった彼が、そのような仕事に飛び込んで大変な思いをして頑張ったことは疑いない。

オセアニアの絵画がフィジーで売れるとはどういうことだろうか。フィジー系フィジー人やインド系フィジー人でアートを家に飾ろうという人は決して多くはなかったと思う。また、フィジーは多くの観光客が訪れる場所でもあるが、観光客で土産品以上の高い買い物をする人は限られていたに相違ない。センターのアーティストの作品は土産品に相当するものではなく、まさにアートであった。

ただ、フィジーは国際機関がいくつもあり大使館もあったから、何年かの契約でフィジーにて暮らし、その想い出にとアートを持ち帰る人は常にある程度いただろう。また、インターネットの発達により、海外からの入札もあったようだ。ハウオファは展覧会を定期的に行い、アート作品をレジデントの画家から買うこともしていて、センターの運営とアーティストの面倒を見ることの間のバランスを何とかとっていたらしいことを知った。つまりフィジーにはある程度活性化できるアートのマーケットがあるのだ。

2017年のオセアニア芸術文化センターの様子は、太平洋研究学部との合併があったためか、かなりの予算の投入があり、設備は優れたものになっていたが、視覚芸術の部門は人がほとんどおらず、以前に比べて寂しいことこの上なかった。ただし、パフォーミング・アーツの部門は活発で、ダンサーたちは海外遠征に行っているとの話であった。

スヴァの住宅地に21Kギャラリーというのができていた。結構ハイブローな絵を掲げている画廊で、アーティストがもうすぐ来るからといわれて待っているうちに来た画家たちの中には、渡辺文のインフォーマントだったセンターのアーティストが何人もいた。ハウオファが亡くなった後、センターはもう前と違ってしまったという。このギャラリーのような受け皿ができたのでよかったと思っていたが、インターネット情報を見る限りでは、21Kギャラリーはもう存在しないようだ。あの画家たちの活動はどうなったのだろうか。

現在のFiji Art Councilの催しは、土産品中心になっているようである。

❖サモアでアーティストになること

2017年の調査の折に、サモアのレウルモエガ・フォウ美術学校を訪ねた。以下、校長との談話などから得た情報である。

サモアでは、私が調査を始めた後の80年代頃に、Ernest Coterというイタリア人の彫刻家が来島して、レウルモエガ・フォウ高校（組合派教団の運営するミッション・スクール）の先生をしていたが、どうも学業の不得意な生徒が多く、むしろアートに向いているのではないかと教会に提案して敷地内に美術学校を作ることに尽力したとのことである。実は当時、その美術学校の事業については全く把握していなかったので、コテルに会ったことはない。アートの才能ある子がここを出て留学までするケースもあった。現校長も、体調の悪くなったコテルが帰国する後を託されたのだが、教団が校長にするためにニュージーランドに送って修士号までとらせてくれたそうである。

もちろん学校なので授業料はとるが、作品が売れたときは学校がコミッションを3分の2取り、生徒も3分の1もらえる。クルーズ船が入港するときには、作品をもっていって即売会もするとのこと。学校とはいうものの工房のようになっていて、生徒は工房の実習生のような感覚だ。午前中1～2時間の講義があり、その後、午後3時位まで実習で、作品を作る（写真14－4）。先生は巡回して指導を行う。絵画、彫刻、エレイ（版木から作る）、ステンドグラス等とあらゆることを習う。もともと樹皮布を染

写真 14-4　レウルモエガ・フォウ美術学校にて、製作中の生徒。2017 年撮影。

写真 14-5　レウルモエガ・フォウ美術学校にて、生徒の作品。大きな彫刻は美術館の外の廊下に置かれている。2014 年撮影。

色するための版木があったが、近年ではそれで布に染色したものをエレイと呼んで町で販売している。実際に板を使うよりも型抜きする前のゴムゾウリの材料を使うことが多いが、ここでは本物志向で板の彫刻を行ってから染色している。染色した布はもちろん販売する。教会を始終建て直すサモアでは、ステンドグラスは特殊なアートではなく、かなり需要のある産業である。

教団は学校の傍らに美術館（EFKS Fine Art Museum）も運営していて、生徒たちの作品を見ることができる（写真14―5）。そこは入場料や撮影料を取るのである――といっても、何度か来たことがあるが、私以外の客がいたことがなく、赤字経営だろうと思う――が、おそらく欲しい作品を買うこともできるのだろう。教会は将来的には池や噴水など設置しツーリスト・アトラクションともなるよう考えているようだが、まだそこまで完成はしていない。

かなりマーケティングを考えた教育となっているが、全くマーケティングだけではなく、作りたいアートを作る指導の体制も備えていて、作りたいものと売れるものとの間の妥協点を探っているといえるだろうか。

モモエの画廊も訪ねた。モモエは、Momoe Malietoa von Reicheという名前なのだが、国際的にも知られた詩人・アーティストである。MADD Galleryという名の看板が立っているところに行ったのだが、彼女が出てきたので驚いた。彼女は、元国家元首マリエトア・タヌマフィリ2世（故人）の娘で、早くからニュージーランドに留学していた。本当はアート・スクールに行きたかったが、それだと奨学金が出ないので、教員養成校で美術教師となることにしたという。帰国して学校教育に携わった。アートを作るためには観察眼を養わねばならず、この力は教育の一環として重要だという。

詩集や絵本の出版なども行っている。彼女は、夫がドイツ系サモア人の実業家であるので、生活とアーティストであることとの間で妥協する必要はなかったと思われる。画廊を中心にワークショップなどして、現在はアートを広める運動をしている。

おそらく、サモアのような途上国でフルタイムのアーティストになるという選択肢はなく、その必要もなかったモモエですらなったように、美術教師というのが現実的なあり方かもしれない。モモエより先に、美術教師となったIosua Toafā も同様である。彼もまた、絵本の挿絵を描いたり[*15]、海外の出版社等とも活動を行ってきた（写真14—6）が、サモアでは美術教育に携わっていた。80年代半ばにアメリカ領サモアに移住し、やはり高校の美術教師としての仕事を行いつつ、アーティストとして依頼されるままに、レストランや銀行などの公共の場に作品を提供してきた。現在病気のために絵筆は握れなくなってしまったのが残念である。自身のＨＰはないが、名前でググると多くの作品を見ることができる。

写真 14-6 『サモアの神話伝承』表紙。トアファーが挿絵を描いた本。装丁について言及がないが、おそらく彼自身が描いたと思われる。

❖頑張れ、オセアニア現代アーティスト

ユキの活躍を見ると、才能をフルに発揮して専業アーティストになりたいならば、やはり海外に移

民するというのが現実的選択かもしれない。アート作品を作るならば、どこでもいいだろう、一番好ましいところで制作するに限ると思う人は多いだろうが、実際にはマーケットやメディアとどうつながるか、アートコミュニティとどう関わるかが現代のアーティストにとっては重要な課題なのだろう。

現在の太平洋諸島であると、国内にアートマーケットは存在しないから、海外に販路がない限りは、ツーリストを相手にせざるを得ない。ツーリストは手頃な記念品を欲しがっていて、スーツケースに入らないものは買わない、となると、形や値段もそれに合わせなくてはならないことになる。そういうものを遮断して孤高を守ることもあり得るが、やはり同志は欲しいだろう。他の島々のアーティストはどのようにして売れるものと作りたいものの折り合いをつけているのだろうか。

しかし太平洋諸島にとっての朗報は、移民社会で名をなしたアーティストが帰国していることである。ファッ・フェウウもジョン・プレも帰国してアトリエを本国に構えた。もちろん、本国に落ち着くのではなく、行ったり来たりの生活となるのだろうけれども。また、ユキはリタイアするには早すぎるが、本拠地はサモアに置いたようである。

最後に一言。日本のアートシーンの内旋状況は是非打破すべきである。アート好きの方々は、オセアニア系移民のアートに限らず、是非とも欧米以外のアートシーンにも目を向けていただきたいし、キュレーターも是非冒険していただきたい。

＊1：この代表例はゴーギャンであろう。さらに、ホノルル美術館やテ・パパ博物館、オークランド美術館などには、そこまで世界的に有名ではないが19世紀に現地人や現地風景を描いた画家の作品が展示してある。
＊2：Nicholas Thomas (1995, 2018) *Oceanic Art*. Thamas & Hudson.

＊3：世界的な権威ある同美術館にて単独展覧会が開催されるのは、サモア系アーティストとして初めてであるばかりか、ニュージーランド人としても最初であり大変な快挙であった。

＊4：サモアのみならず、ポリネシアにはトランスジェンダーの伝統文化がある。ファアファフィネの社会的役割等についての詳細は、山本真鳥（2004）「ジェンダーの境界域――ポリネシア社会の男の女性（マン・ウーマン）」山本真鳥編『性と文化』法政大学出版局。

＊5：山本真鳥（2011）「ニュージーランド在住太平洋諸島出身アーティストの芸術の形」床呂郁哉・河合香吏編『「もの」の人類学』京都大学学術出版会。

＊6：クリフォード・ギアツがジャワ農村の経済について用いた用語。コミュニティ内での互酬的な儀礼交換などを繰り返すことで、貧しい者は救済されるが、コミュニティ全体の経済発展にはつながらない。内向きに展開すること。

＊7：樹皮を叩き延ばして作る布状のもの。かつては衣料等に用いられた。表面には各諸島で異なる伝統下のデザインや染色手法を用いて、彩色絵付けがなされた。

＊8：日本でよく歌われている「サモア島の歌」について、ユキにメールで質問されたことがある。この歌は、サモア人のほとんど誰も知らない歌だが、日本人の間では有名だ。1961年にNHKがサモアで調査中の文化人類学者畑中幸子をリエゾンとして撮影を行った際収録してきた、大勢の子どもが浜辺で歌いながらダンスをしているビデオに日本語で歌詞をつけ、東京放送児童合唱団が歌った。NHK「みんなのうた」で放映したところ、瞬く間に日本の人気ソングとなった。歌はサモア独立記念祭（1962年）に催されるコンテスト用にイヴァ村小学校の教員が作詞作曲したものであったことが後に判明している。

＊9：彼女の出展作品は、*Paradise Camp* と題するもので、ファアファフィネにゴーギャン絵画の仮装をさせて撮影したポートレート、動画、リサーチである。植民地主義、LGBTQ 差別を意識した作品である。同名の書籍が、Natalie King ed. で Thames & Hudson から 2022 年に出版されている。

＊10：John Pule and Nicholas Thomas (2005) *Hiapo: Past and Present in Nuiean Barkcloth*. University of Otago Press.

＊11：Epeli Hau'ofa (1994) Our sea of islands. *Contemporary Pacific* 6(1).

＊12：Epeli Hau'ofa (2005) The development of contemporary Oceanic arts. *People and Culture in Oceania* 20.

＊13：この話は決して荒唐無稽ではない。パプアニューギニアは、言語が多様で多くの部族を抱えた国家であるが、独立時に建設された国会議事堂のファサードは、さまざまな部族文化や各地を象徴するものを現代アーティストが何人も参加して描いたアートで飾られ、ひとつの国家となることがそこに表象されている。Pamela C. Rosi (1991) Papua New Guinea's new parliament house: A contested national symbol. *Contemporary Pacific* 3(2).

＊14：渡辺文（２０１４）『オセアニア芸術――レッド・ウェーヴの個と集合』京都大学学術出版会。

＊15：C. Stuebel, Brother Herman, and Iosua Toafa (1976) *Myths and Legends of Samoa*. A.H. and A.W. Reed.

QR14-1
ユキ・キハラ『サーモアのうた』
ミルフォード美術館制作、2019 年

QR14-2
「パシフィック・アーティスト、ファツ・フェウウ」
タガタ・パシフィカ（ニュージーランド・テレビ）制作

QR14-3
「タウタイ太平洋アート・トラストが展示場を新設」
タガタ・パシフィカ（ニュージーランド・テレビ）制作

QR14-4
「オセアニアのアーティスト、ジョン・プレ」
王立美術アカデミー制作、2018 年

QR14-5
『レッドウェーヴ――南太平洋大学のオセアニア芸術文化センターと太平洋研究学部』
南太平洋大学制作
作品の一部を見ることができる。

第15章　オセアニアの観光開発

オセアニア諸島の産業はといえば、かつてはハワイ、フィジーでサトウキビ栽培が盛んに行われ、また、サモアやニューアイルランド諸島などもココナツ・プランテーションの開発が行われていたが、現在は低調である。その他、特定地域での鉱物資源開発はあるものの、ほとんどの諸島社会はあまり天然資源に恵まれているとはいえず、広い耕地面積も確保できない。そうした中で、主にハワイをはじめとする観光開発は近年、島嶼社会の経済を大きく支えてきた。*1

❖観光産業の発展と観光人類学

観光の定義は、楽しみで旅をすること、というのが一般的であろうと思う。そこにビジネス目的を含める場合もあるらしいが、ここでは楽しみの旅行に限定する。「物見遊山」という日本語があるように、楽しみで旅をするというのは決して新しいことではない。ただし、かつての旅は楽しみであっても大いに体力や財力が必要で、並大抵のことではなかった。探検や冒険の旅行は危険が伴うものだったし、脚力が必要だし、乗り物を使うにしても動物、あるいは馬車といった手配も大変なものだった。

とりわけ、海外へと旅することは、探検、冒険であったが、イギリスでは17世紀初頭から19世紀初頭にかけて、貴族の子弟が学校を卒業した記念に大陸諸国を旅してまわるグランドツアーなるものが流行したという。これが、イギリスからその他の欧米諸国にも広がるようになり、やがて団体旅行へと発展した。トーマス・クックが、旅行のための宿泊、交通手段などを手配する会社をつくり、パッケージツアーを扱うようになったのは19世紀半ばのことである。

しかしそれでも、時間もお金もかかる観光旅行は、限られた人々の特権であった。ジュール・ヴェルヌ作『80日間世界一周』の主人公はイギリス人資産家で、80日間で世界一周をするという賭けをするのであるが、当時世界一周はその日程ではとても無理と考えるのが常識だった。海外への観光旅行が手軽になったのは、航空便のネットワークが世界中に張り巡らされ、しかも運賃が安くなったおかげである。

観光研究*2が人類学で取り上げられるようになるのは、70年代の後半であろうか。観光人類学の古典である『ホスト・アンド・ゲスト』*3の出版がその頃である。海外観光旅行の普及からやや遅れて始まっている。海外旅行が異文化間の出会いを増やし、また観光開発が現地社会に変容をもたらすという局面に至り、観光研究が始まった。応用人類学の一部と見られることが普通であるが、人類学の知見を生かして何か社会に役立てるという従来の応用人類学のスタンスよりは、人類学の知見を生かして観光という現象を分析する、という手法である。この小論に観光人類学の議論を多く含めることは難しいだろうが、ハワイの観光についてまず述べ、そのあとにサモアとヴァヌアツをとりあげてみよう。

❖ハワイの観光開発、太平洋戦争以前

19世紀後半には、有名人が多くハワイを訪れている。例えば『トム・ソーヤの冒険』のマーク・トウェイン。彼の作家デビューは、ハワイにきて紀行文を新聞に掲載したことである。『日本奥地紀行』を著したイザベラ・バードも日本に来る前にハワイを訪れて、その体験を出版している。また、『宝島』、『ジキル博士とハイド氏』で有名なロバート・ルイス・スティーヴンソンは１８８０年代の終わりにここを訪れ、カラカウア王の客人となっている。しかしその時代のハワイ旅行は多くの困難を克服して成り立っていたのであろう。スティーヴンソンはスクーナー船をチャーターしてサンフランシスコからハワイに渡り、しばらく滞在している。その後も南海の諸島を巡り、最後はサモアに居を構えたことで知られる。

写真 15-1　カメハメハ 5 世所有ワイキキの夏用住居、湿地帯であることがわかる。19 世紀、石版画。大英博物館所蔵。PD

　ハワイの観光開発については、山中速人の著書[*4]に詳細な情報がある。１８９３年にハワイ王朝を転覆させた白人勢力が翌年ハワイ共和国を樹立した後に観光開発が始まる。有名なワイキキは、かつて王族や貴族の家もあったが、タロイモ田や養魚池が広がる湿地帯であった。ここに観光開発を行う目的で、運河を北側に掘り、その土で埋め立てを行った。この事業が完成したのは１９２８年のことである。ワイキキの

写真 15-2　モアナ・ホテル（合衆国歴史建造物）、Gerald Farinas 撮影。PD

ビーチはもともと岩がごろごろしたところであったが、砂を入れて海水浴場とした。現在でも恒常的に砂を足していかないといけないと聞いたことがある。確かに遠浅では全くなく、海に入っていくと、あるところから急に足が立たなくなるから気をつけた方がよい。

1901年には初めてのホテル、モアナ・ホテルが完成して、カリフォルニアの金持ちがやってくるようになる。ワイキキには他にもホテルが開業していった。ハワイの財閥キャッスル&クックの子会社がサンフランシスコとホノルルを結ぶ客船の定期便を運航した。それでも片道4日ほどかかったらしいから、現在のように日本から2泊3日、3泊4日といったスケジュールの旅行はあり得ない。ホテルに週間、月間単位で滞在するのであるから、それこそヴェブレンのいう「有閑階級」でないとハワイ観光に行くことはできなかった。

1925年になるとモアナ・ホテルを凌駕する施設を備えた豪華なロイヤル・ハワイアン・ホテルが誕生し、ゴージャスなハワイ旅行が楽しめるようになった。まだ準州であったハワイは、先住民がいたり日本人も多かったりして、本土とは相当変わった、異なる文化をもった場所というイメージがもたれていたことは間違いない。

ハワイの土着の音楽は、鼻笛[*5]を除いてパーカッションのみである。そこにチャント（詠唱）が入るものとされている。しかし、ヨーロッパ人の来航以来、ハワイではギターなど弦楽器が利用されるようになり、船員・入植者たちとの交流の中で、メロディーのある音楽が奏でられるようになった。ポルトガル人入植者が19世紀末に来島して発明したといわれるウクレレやハワイで発達したスティールギター、スラックキーギター[*6]などの演奏、ハワイアンの男声ファルセットの歌謡は十分エキゾチックであったと思われる。当時本土で巡業している歌手やバンドもあった。本土でハワイアンとして珍重された音楽は、ハワイではハッパハオレ音楽と呼ばれていた。ハッパはハーフ、ハオレは白人のことであるから、混血のことを指す。

一方フラ（ダンス）は、1820年のキリスト教の到来から宣教師らによって、放縦であるとして禁止されるなどの憂き目を見てきたが、1874年から1891年まで王位にあったカラカウア王はこれを再興し、文化復興を行った。彼に捧げたフラ競技会は彼の愛称にちなんで、メリーモナーク（愉快な王様）・フェスティバルと呼ばれる。フラもハワイの呼び物だっただろう。

順調に育ちつつあったハワイ観光であったが、そこで大恐慌（1930年代）が起こる。観光産業の宿命であるが、経済状況や疫病、交通手段の激変などによって、大きな痛手を受ける。景気の動向に左右されるのではなく、景気の動向の何倍も増幅した波を被ることになるのだ。観光客の数は一番の底では最盛期の半分

写真 15-3　1920 年頃のワイキキ・ビーチ。Frank Coffee 撮影。PD

に減少した。この後もハワイ観光はアップ・アンド・ダウンを繰り返すが、ちなみに今回のコロナ禍もハワイには大変な痛手となっている。

❖ハワイの観光開発、「砂糖もどき」から主たる産業へ

真珠湾（パールハーバー）はオアフ島の南岸、ホノルルの西、車で30分程度の場所にある。ここは、19世紀の王国時代から合衆国が砂糖の優遇関税との引き替えで利用を求めていた場所で、合衆国によるハワイ併合後も重要な海軍基地とされていた。真珠湾攻撃は1941年12月8日のことで、これが太平洋戦争の始まりだった。当面の間ハワイには緊張感が走る。戒厳令が敷かれ、灯火管制が行われる。日本軍の上陸を阻止するためのバリケードを作る措置がとられ、ホテルは軍に接収された。が、やがて太平洋各地で広範に戦争が繰り広げられるようになると、後方基地としてハワイはアメリカの中で重要なポジションを占めることになる。

山中にいわせると、逆説的であるがハワイは兵士たちの休養場所として活用されるようになり、これがハワイのマスツーリズムの幕開けであったという。確かに現在でも、軍の保養施設はワイキキの中にしっかり確保されている。当時、戦争から休暇で一時帰国の兵士のために、さまざまな遊興施設が作られ、ボランティアの若い女性が接客をしてくれた。ショービジネスもあったし、ハリウッドやブロードウェイで活躍する女優たちもここに慰問にやってきた。将兵たちは、写真館でエキゾチックな女性とならんで写真を撮り、故郷の家族へと送った。戦争中ながら、楽園ハワイのイメージは定着し、戦後ともなるとホテルも増えハワイ観光はさらに発展することとなる。立州となった1959年

にはジェット機が就航して、航空運賃が安くなるのに反比例し、猫も杓子もハワイに来る本格的なマスツーリズム時代を迎えた。

しかし、この頃までのハワイ経済を代表していたのは砂糖産業である。サトウキビを栽培する巨大なプランテーションが島のあちこちに存在し、サトウキビの甘い汁を搾って煮詰めたあと、工場で精製して砂糖に仕上げる。この産業のためには、プランテーションで働く労働者を大勢必要として、人口減少中のハワイ人はあてにされず、19世紀には海外から大勢の年季契約労働者が導入された。その中には大勢の日系人もいる。彼らの半ば奴隷的な労働によって、この産業は支えられていた。1898年のアメリカ併合を進め、ハワイを合衆国の一部としたのは、アメリカ系市民（白人）であったが、それによって労働者たちは奴隷的身分や低賃金労働から解放されることとなった。ハワイの労賃は次第に上がっていき、他の労賃の安い国の砂糖産業と競争するのが難しくなった。そうしてハワイの砂糖産業は衰退していったのである[*7]が、その代替となったのが観光産業である。観光産業は砂糖もどき[*8]なのだ。1972年には州の観光収入が農業収入を抜いてトップとなった。

1960年代の観光客は100万人程度であったが、それが順調に伸び、とりわけバブルの時期には日本人の観光客が急激に増えた。2020年は従来通りではないが、2019年には延べ900万人弱の観光客がここを訪れている。ちなみに日本からの客は157万人で、国別の海外観光客としては最大人数を占めている。日本人でハワイ好きという人の中にはコンドミニアムやタイムシェアを持っていて、年に数回訪れる人もいる。観光地としてのハワイの強みは、リピーターが多いことであろう。日本人観光客を当てにした日本からの投資も多い。観光業の地元経済への貢献という意味でいつも問題になる点である。ホテルは合衆国本土や日本の資本でできあがっていたり、買われてしまったりしていて、利益はハワイの外へと流れていく。近年では野菜や肉など州内での生産が増えて、野菜を州外から海を越えて運んでくることが減ったが、急増の観光地は食料、水、エネルギーなども外部に依存することが多く、売り上げに比して儲けは少ないことが多い。

山中は、ハワイの楽園というイメージがどのように作られていったかについて詳細に分析している。戦前のハッパハオレ音楽の興隆があり、その上に、戦後は映画やテレビ番組が作られたが、それらは結構ロサンゼルスやハリウッドで撮影されたし、いかにも楽園ハワイのイメージがにじみ出ていた。また、ハッパハオレ音楽に乗せて踊るにしてもフラは大変ゆっくりした動作の優雅な踊りであったし、体の露出も少なかった。それに対し、露出部分が大きく、激しく腰を振って踊るタヒチアン・ダンスをそれと断らずにワイキキのフラ・ショーで演じることは多かったし、ダンサーもハワイ人であるよりも白人女性の方が多かった。

そうした儲かればなんでもありの風潮を変えたのは、先住民運動である。1970年頃から、本土の公民権運動に触発された先住民運動がハワイにも到達して、ハワイ人たちが自らのアイデンティティに目覚め、失われた文化をとりもどす文化復興運動が展開した。ハワイアン・ルネッサンスである。フラ・カヒコと呼ばれる「古代」のダンスは、既に失われていたダンスを復元したものである。

若い人々が多くフラのハーラウ（クムフラと呼ばれるフラの師匠の運営するフラの学校）に参加し、フラ・コンテストに出場するようになった。ハワイ州で行われている多くのフラのコンテストの中で、日本でもよく知られているのは、メリーモナーク・フェスティバルである。メリーモナークとはカラカウア王のことで、ハワイの伝統文化復興に力を入れた王にちなんでいる（QR15―1）。ワイキキで売られている土産物にはフィリピン製やサモア製、トンガ製のものなどが結構あるが、一方でハワイ人が受け継いできた木工の技術を使ったものや、伝統文化の延長上にあるような新しいアート作品が作られ、別の場所で売られている。

観光は伝統文化を振興するという意見と、それに対立する、観光は伝統文化を破壊するという意見がある。実際はどちらも本当だ。伝統文化を見せる機会は観光によって増えるし、観客のために練習するということもある。ダンスの担い手がダンスに専念するために収入を得るというインセンティヴは必要だ。その一方で、ホストは（お金を持っている）ゲストが見たいイメージに合わせて見せようとするので、伝統文化は変化していく。

しかし、ハワイアン・ルネッサンス以来、ハワイ文化はハワイ人だけでないローカルの人々も享受し、切磋琢磨して自己展開する局面が高まってきている。観光客もそうした努力をリスペクトするようになってきているのではなかろうか。

❖サモアの里帰り観光

サモア（当時は西サモアと呼ばれていた）は、独立した1962年頃には農業国となる予定であった。コプラ、カカオ、バナナなどの換金作物を育てて現金収入を得、一方で従来のタロイモ等の食料を自分たちで作るサブシステンス（自給自足）経済を維持していけば、何とかやっていける、と建国のリーダーたちは考えていた。しかし、相当高い関税をかけているにもかかわらず、輸入はどんどん増え、しかも換金作物の価格変動が著しく、値が下がる度に人々のインセンティヴが下がるという局面に至った。その間、宗主国であるニュージーランドへの出稼ぎが増えていった。私が調査を開始した1978年には、もうニュージーランドや合衆国にサモア人コミュニティができていて、出稼ぎから定住へという流れになっていた。サモア在住の人々は海外で働く家族からの送金に依存する暮らしで、それは政府も同様であった。

観光開発は、1990年頃に始まった。サモアの伝統文化ではホストがゲストをもてなして楽しませ惜しみなく食事をふるまうというホスト優位の関係性――ホストの持ち出しで成り立つ――があり、[*9]そこにゲストから金銭をとってビジネスをするという発想がなじまないと考えた政治家たちは、観光はサモアの文化にそぐわない、とずっと観光開発には後ろ向きであった。潮目が変わったのは90年代で、観光大臣となったツイラエパ・サイレレ・マリエレガオイ（前総理大臣）が観光開発を主導するために観光公社を立ち上げた。各村に道路の清掃をさせ、観光スポットの情報を集め、海外の旅行代理店と提携し、さまざまな行事を整え、民間との協力体制も整備した。プロモーションビデオを制作した。例えば最新作はQR15―2。

ただ実際に観光客に紹介する観光スポットを整備するだけでも結構な仕事量だったと思う。海岸近くにある真水の天然プールや、滝、潮吹き岩など、案内がなければ観光客は行くことができない。78年には日焼けして古びたパンフレットしかなかったのが、新しい案内の冊子ができ、新しい案内所ができた。そうして、観光を国の一大産業としたのである。観光開発が始まった頃は、サモアの国際収支では移民の送金が第1位の収入であったが、現在では移民の送金と観光の2つがサモア経済を支えている。

　サモアの場合、太平洋のその他の諸島と比べて、入国管理データのうち、友人・家族訪問（visiting friends and relatives）というカテゴリーが大変多いことに特徴がある。例えば2004年の入国者10万人のうち、友人・家族訪問は3万5000人（35・1％）に対して、観光は2万9000人（28・9％）である。最近のデータでは2017年の入国者数15万8000人に対して、友人・家族訪問が5万1000人（32・2％）、観光は6万4000人（40・4％）。観光客は急激に増加しているが、依然として友人・家族訪問は多い。

　サモア特有の冠婚葬祭行事があり、そのために故郷との往来が多いということがあるかもしれない。里帰り客は親族の家に泊まるので、従来あまり観光開発の対象となってこなかったが、私は里帰りの人々も大きなマーケットであろうと思う。観光客とはお金の使い方が違うと従来は考えられていた。しかし彼らもサモアでかなりのお金を使う。里帰り客は親族の家に泊まり観光客より長く滞在するから、ホテル代はかからないと思う人もいるが、その間に大家族の暮らしから一時逃れて、プライバシーを求めて町のホテルに滞在することはよくある。レンタカーを借りて、ドライブもしばしば行う。故郷の親族を連れてレストランに行くこともある。一昔前は、レストランに行っても周りは白人ばかりだったが、最近はサモア人も多く来店している。この中にはもちろん在住の高収入の人もいるだろうが、里帰りの人も多いだろうと思う。

　観光開発の一環としてテウイラ・ツーリズム・フェスティバルというのがあり、ダンス、合唱、スポーツなど、村や学校、教会の青年団などで作った集団でコンペティションを行い、サモア文化を紹介するものとなっている。1991年に開始して既に30年に及んでいる（ただし2020年はコロナで中止）。この行事が、欧米の観光客に楽しめるものとなっているかということについて、ずっと以前から私は疑問を持ってきた。現地のサモア人はそれこそ、この行事を心待ちにしており、ダンスの練習など半年以上前から行っている。ただ気になるのは、司会などサモア語だし、ダンスその他の出し物もディープ過ぎて、サモア文化に精通していないとその細部を楽しむことはできない。ダンスプログラムなど30分もすると観光客は席を立ってしまう。欧米白人中産階級に対して観光キャンペーンをかけたはずであるが、このフェスティバルは何なの？という感じで見ていたが、これは結果的には海外サモア人を呼び寄せるものとなっていると気付いた。国内のサモア人同様、海外サモア人移民もサモア文化満載のこのフェスティバルを楽しみにしている（QR15―3）。サモア移民の人々がインタヴューに答えている。

今後ますます、2世、3世が増えていくのであるから、里帰り観光はさらに重要なものとなってくるはずだ。[*10]

❖ヴァヌアツの元祖バンジージャンプ

ヴァヌアツは1980年に独立した新しい国のひとつである。観光開発も行ってはいるが、サモアよりは遅いかもしれない。

人類学者にとってのヴァヌアツの名物はナゴル儀礼であるが、通常の南海の楽園を楽しもう的なプロモーションビデオには出てこない。ナゴル儀礼はバンジージャンプの元祖である。体験した人はわずかであろうが、誰もがテレビなどで見たことがあるのではなかろうか。テーマパークの絶叫マシンにも匹敵するバンジージャンプの原型は、島嶼国ヴァヌアツのペンテコスト島南部で行われているナゴル儀礼である（QR15−4）。以下白川千尋の報告[*11]に基づいて説明しよう。ナゴル儀礼は「毎年4月から5月にかけての時期に行われる。儀礼では、高さ30mを超える木製の櫓から、足首に蔓性植物のロープを巻き付けた男性たちが、次々に弧を描くようにして地上へ真っ逆さまにダイブする。ロープは男性たちが地面に激突する寸前に延びきり、彼らの身体、ひいては生命を守る」（162頁）。

南部ペンテコストに宿泊施設はほとんどないし、空港からの交通は便利ではないので、ツアー会社がツアーを組んで、それに参加するという形をとる。ヴァヌアツの中でもマイナーな観光のようだ。この儀礼が着目されるようになったのは、1950年代のことであるが、当時でも生で見た人は少ない。その頃儀礼を行っていたのは、空港からかなり離れたところにある、未だキリスト教を受け入れていない人の多いブンラップという集落である。ブンラップは、ツアー会社の要望に従って観光客を受け入れたが、最初は自分たちのための儀礼と観光客に見せる儀礼とを別に行っていた。やがて周囲のキリスト教徒の多い集落にもそれを担わせるようになる。ただ、ブンラップが本家ナゴルであることを知っているジャーナリストやドキュメンタリー作家は、ブンラップにこだわり、高い謝礼を払ってブンラップで撮影させてもらっていたらしい。複数のツアー会社と集落のリーダーとの関係。伝統文化を重視しつつ、現金収入も欲しいという矛盾。集落間の力関係の中で、本家ナゴルを保持したいブンラップのチーフDの登場などもある。チーフDはメラネシアのリーダーらしく、自分一人にナゴルの権威があると公言はしないが、実質的に文化のオーナーであることを、周囲に認めさせることに成功したようだ。ナゴル儀礼の商品化ということが「観光の中のカストム」の章のテーマである。儀礼やダンスが誰のものか、文化を所有するのが誰か、というのは伝統社会ではしばしば問われる課題である。

しかし、ナゴル儀礼に関して、ヴァヌアツ政府は知財としてこれを世界的に認定して欲しいという野心があるらしい。世界知的所有権機関（WIPO）では現在、伝統的知識を知財として認められないか、という議論が持ち上がっている。中国は漢方を、インドはアーユルヴェーダやヨガなどについて主張している。世界中で注目され、使われているにもかかわらず、それらが知財として認められず、特許やライセンスに支払われるようなものが全く入ってこない。中国、インドと無関係のフリーライダーを利する結果となっていることに対する不満である。ヴァヌアツ政府も、バンジージャンプを考案したオーストラリア人だけが儲かるのはおかしい、と主張していると仄聞した。一国内での文化の権利というよりはずっと大きな話である。

❖観光と文化の商品化

最後は観光から別な話に流れてしまったが、観光というテーマは文化の商品化と大きく結びついていて、今後ますます広がりの期待できるテーマである。フラの話に戻るが、例えばフラに関してハワイ人たちは自分たちの独占にすることは考えていないらしい。フラを学びたい人たちは何人《なにじん》であろうと習うことができ、人前で踊ることも問題ない。そうやってオープンにすることによって、フラは様々なエスニックの人々に愛されることになる。しかし、そうしてマーケットが広がれば、フラの教師としての仕事も増えるし、踊るチャンスも増えるというものだ。

＊1：もうひとつの島の産業は軍事基地である。ハワイに留学した1978年当初、ハワイの経済を支える第一は観光であり、第二は軍事基地であると教わった。地政学的に島は基地として有意なのであろう。似たようなことは、グアムにも、そして沖縄にもいえることである。

＊2：観光人類学の著書は最近見かけるが、オセアニア関連といえば、後述する白川千尋よりも前に出版された橋本和也（1999）『観光人類学の戦略――文化の売り方・売られ方』世界思想社、がある。

＊3：Valene L. Smith ed. (1977) *Host and Guest: The Anthropology of Tourism*. U. Pennsylvania Press.

＊4：山中速人（1992）『イメージの〈楽園〉――観光ハワイの文化史』筑摩書房など。

＊5：ポリネシア各地に存在していて、鼻息で音を出す楽器。

＊6：スティールギターはいうまでもなくギターの音を電気で増幅するのだが、ギターを抱えずに平らにおいて演奏するところが特徴である。スラックキーギターは通常のギターを用いるが、特有のチューニングを行う。

＊7：次第にプランテーションは閉じていき、最後に残ったマウイ島のアレキサンダー&ボールドウィンのプランテーションは2016年暮れに操業を終了した。

＊8：Ben R. Finney and Karen Ann Watson eds. (1977) *A New Kind of Sugar: Tourism in the Pacific*. The East-West Center and Center for South Pacific Studies, U. California, Santa Cruz.

＊9：このような観光とは逆転したホストとゲストの関係は世界の他の場所においても同様に見いだせるのだが、特にポリネシアでは著しいものがある。ヨーロッパ人との接触時代に、現地の首長や王の客人となり優雅に暮らした人々がいる。カメハメハ1世の客人として活躍したアイザック・デービス、ジョン・ヤングは有名であるが、トンガの首長フィナウ・ウルカララの客人となったウィル・マリナーの冒険譚も興味深い。

＊10：これについては、深い分析を行っているので、参照いただきたい。山本真鳥（2021）「グローバル・サモア世界の形成――ホームランドと移民社会の力学」『経済志林』88巻3・4合併号。

＊11：白川千尋（2005）『南太平洋における土地・観光・文化』明石書店。

QR15-1
「2019年度　メリーモナーク・フェスティバルより」
Ho'i Hou 制作

QR15-2
「サモアに来てね2022年」
Samoa Tourism 制作
新型コロナによる国境封鎖解除を前にして
作成した観光のプロモーション・ビデオ

QR15-3
『サモア・テウイラ・フェスティバル2017年』
TheCoconutTV 制作（西ポリネシア諸島を結ぶテレビネットワーク）

QR15-4
『地面に飛び降りる人々』
ナショナル・ジオグラフィック制作

第16章　遺骨等の返還、文化財の返還

さて、最終となる本章は、ポストコロニアル時代に相応しいテーマである。サモアでも後に述べるニュージーランドなどと同様に遺骨等の返還[*1]とかあるだろうかとググってみたが、見つからなかった。むしろ、海外で亡くなった人の遺体を運んできたら、即エンバーミング[*2]せよとか、火葬もよい、とか保健省の指針がサイトには上がっている。近年病気が重くなると、可能な場合はニュージーランド在住の親族を頼り、終末はそちらの病院で迎えることが多い。そうした遺体はサモアに運んできて葬儀となることが多く[*3]、そのときに遺体による（菌やウィルスなどの）感染防止とか遺体の腐敗防止の意味である。植民地主義下で海外に散逸した遺体を返せ、といった主張とは全く性質の違うものなのだ。

❖植民地主義下の収集と博物館

さて、過去の文化遺産は、近代の国民国家の生成と共に、重要な民族アイデンティティとなっているが、18世紀、19世紀の植民地主義の時代、世界中を列強が分割し支配した時代には多くの文化財が

欧米の列強各国に持ち去られた。

世界の事物の探求といった目的で世界中から標本を集めたキャプテン・クックの遠征のようなものもあったが、ともかく物欲に任せたとしか思えないもの、珍しいものを許可なく持ち帰るという場合も多くあった。

キャプテン・クックは、植物学者、動物学者等の学者を遠征に何人も連れて行き、写真技術のない時代であったから、画家に現地の絵を描かせ、動植物の標本を集めて廻り、現地社会を観察しては航海日誌に書くということをしてきた（写真16―1）。それらの標本や民族学資料は当然のように博物館入りした。現在ではもう現地で作られていない貴重な資料があることがしばしばだ。第13章「オセアニア・アート」で説明した通りである。

当時は異文化への関心が高く、冒険家、探検家も多くいて、古代文明の栄えた地域に行く考古学者などの持ち帰る出土品の中には入手経路の怪しい文化財が少なからずあった。世界的に有名なものとしては、エジプトから持ち去られたロゼッタ・ストーンやネフェルティティの胸像、新大陸から持ち去られたモンテスマの頭飾りなどがある。

ロゼッタ・ストーン（写真16―2）は、ギリシャ語とヒエログリフ（古代エジプト語）が刻み込まれた板状の石である。ヒエログリフの解読に役立つ貴重な資料であったが、これを発見したのは、ナポレオンのエジプト遠征に同行した軍人で、1799年のことであった。シャンポリオンなどの解読により、ヨーロッパでは一躍有名になった。それは何ら疑問なく発見者のもの、すなわちフランスに帰属するものとして扱われた。しかし、1801年にやってきたイギリス軍にフランス方は負け、その結果、

写真16-1　マオリ人とザリガニと布きれを交換する、クック遠征に同行したジョゼフ・バンクス。バンクスではなく一兵士とする説もある。作者はキャプテン・クックが航海に伴ったタヒチ人トゥパイアとされる。1769年頃。PD

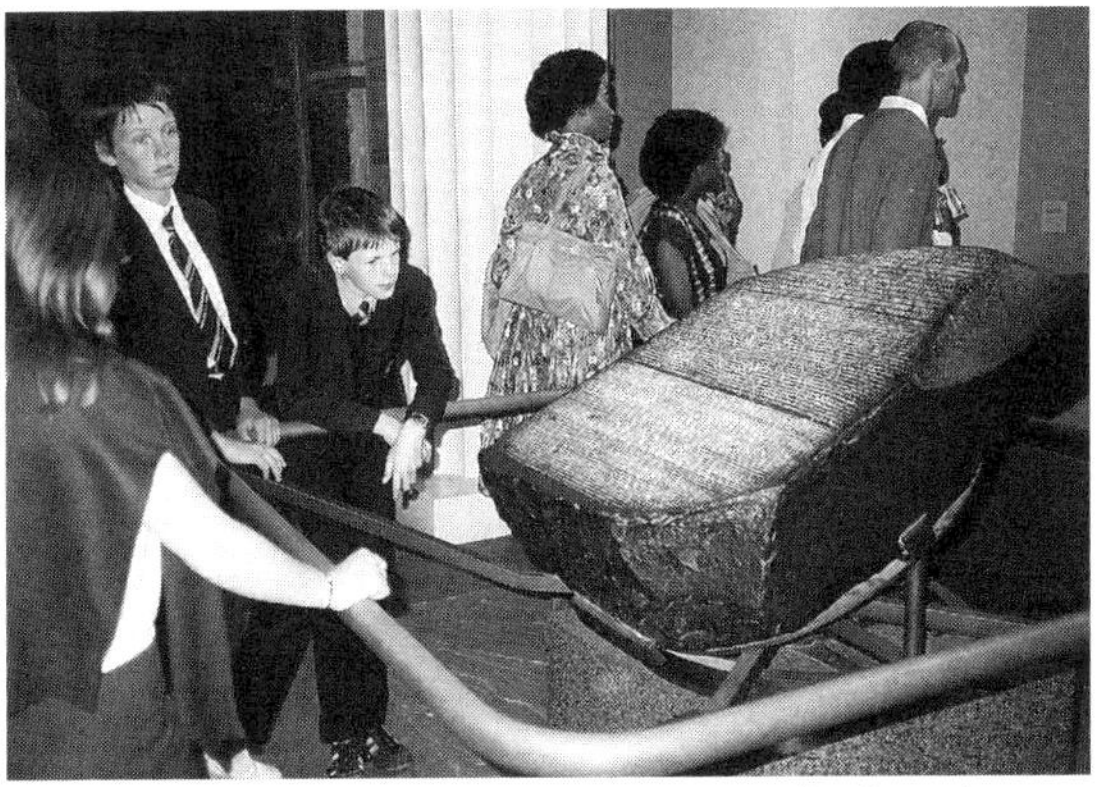

写真16-2　大英博物館に展示されているロゼッタ・ストーン、1985年、RickDikeman撮影。PD

写真16-3　ドイツ、ベルリン、新博物館に展示されているネフェルティティ胸像、2006年撮影。PD

ストーンの所有権はイギリスに移った。それから大英博物館に収められ、現代に至っている。しかし２００３年にエジプトが本来の所有者として名乗りをあげ、返還を求めている。概ねこの主張は認められているが、大英博物館は返還を行ってはいない。

　ネフェルティティは、ファラオであったイクナートンの正妃で、ツタンカーメンの義母に当たる女性である。その胸像（写真16－3）は、１９１２年にドイツ・オリエント協会を率いるボルヒャルトによって発掘された。出土品の分配を決める協議において、ボルヒャルトはちょっとしたズルをしてこの胸像を持ち帰り、しばらく隠した後、１９２４年にベルリンで公開した。エジプトは直ちに返還要求を行っているが、実現していない。第二次世界大戦を挟み、いくつかの場所に移管されるなどの運命を辿り、現在はベルリンの新博物館に展示されている。

　モンテスマは、アステカ帝国（メキシコあたり）の王で、帝国は16世紀にスペイン人の征服者エルナン・コルテスにより滅ぼされた。このヨーロッパ人の新大陸征服の時代に、彼の頭飾りは（分捕り品として）おそらくヨーロッパに持ち去られた。宝石や美しい鳥の羽根飾りがついている。王侯貴族の宝物となったのち、現在はウィーンの民族学博物館に展示されているが、メキシコが返還を要求している。

　過去において、戦勝国は戦敗国のものを自分たちのものとすること（略奪）は当然とされており、それが故にフランスがロゼッタ・ストーンを自国のものと考え、さらにイギリスがそれを分捕る、といった構図があり得たのだろう。また、植民地支配の下で、被支配の領域にあるものは気軽にもってきてしまう、ということは数々見聞されるし、ネフェルティティの胸像のように「盗まれた」こともある。また、高く売れるというので、被支配者の間でいかなる取引や売買、盗難があったかは、あとで議論するように、計り知れないものがある。

エジプト、ギリシャ、トルコなど、多くの文化財の散逸を抱えている国々はそれらを取り戻す努力を重ねている。[*4] 実は日本も足下はおぼつかないところがあり、戦後になって旧植民地であった韓国から多くの文化財返還要求を受けている。[*5] 国際常識としては、不正な方法で入手された文化財は返還されてしかるべき、となっており、盗まれた絵画などの返還に関しては新聞記事などでも多く目に触れるところである。

博物館は世界支配の象徴である、という議論がある。例えば、大英博物館やルーブル美術館などはそういった受け止め方が可能なほど、世界から集めた計り知れない価値をもつ文化財の展示であり、世界中から人がそれらを見るために押しかけてくる。そしてそれら大博物館では現在、多くの文化財由来の国々から返還要求を受けている。文化財は、その由来する国の国民(nation)にとっては国民国家の成り立ちに関わるものであり、人々の記憶であり、今日の存在の根拠となるものであるという認識がある。原則として、不正な形ないしは不正な経緯を経て入手されたものは、返還要求があり得るし、それらについて返還すべしという国際条約もあるが、国際的な交渉ともなると事実関係の認識において両国で異なっている場合もしばしばである。

概ねそれらの世界中の文化財を集めた「偉大な」博物館が文化財を返還しない論理としては、これらの文化財は人類共通の宝であり、それをきちんと保存し展示することは使命である。ここにあるからこそ、保存が可能であるし、世界中の人々がここに来てすべて閲覧することができる、という主張である。返還したとして、文化財がきちんと管理され良好な状態を保つことが可能であるかどうか疑わしいということが、返還しない理由とされることもある[*6]。

文化財の返還はなかなか難しく、保持している側の善意で返還された例もあるが、まだ動きは鈍いと言わざるを得ない。しかし、通常の文化財と若干異なるのが、遺骨等人体由来のものの返還である。

❖先住民運動と遺骨返還の動き

遺骨等が博物館や研究施設に収められた経緯は人類学との関連が大きい。すなわち人種学や遺伝学のサンプルとして、とりわけ少数民族の人骨は科学的研究を目的として収集された。それぞれ国内の大学の人類学教室、解剖学教室や博物館などの収蔵庫にはそのようなコレクションが収められた。博物館展示に登場することは少なかったが、最後のタスマニア人であるツルガニニの遺体や次節のようなケースもある。

多くの国で先住民の人権は無視され、虐げられてきた。先進国の主流の人々（含人類学者、考古学者）は、自分たちの先祖の骨がそのように扱われることは想像だにしなかったが、先住民の骨を収集するのに躊躇はなかったのである。発掘により入手する場合もあり、中には無許可で墓を掘って持ち去ることもあった。

先住民運動の始まりは、アメリカ合衆国の公民権運動とおおいに関わりがあり、１９６０年代末に始まっている。種々の権利回復が訴えかけられたが、遺骨や文化財の返還は大きなテーマであった。

1990年にはNAGPRA（アメリカ先住民墓地保全遺骨返還法）が制定され、大学や各地の博物館は収蔵するアメリカ先住民の遺骨のリストを作り、関係トライブに知らせる義務があり、関係トライブは遺骨を受け取り、再埋葬を行うこととなった。多くの研究機関の動きは必ずしも積極的ではなかったが、この作業に予算もついたのである。

ただし、1991年にイリノイ州にある考古学博物館を訪問する機会があり、その経験からは、この動きは直ちに反映されたものではなく時間がかかったと思われる。その博物館は、発掘現場に建てられたもので、一部発掘現場の地面そのものを廻りから見ることができるようになっており、発掘中の人骨が地面に露出していた。

加藤博文によれば、法制化が行われたのは合衆国だけで、その他の国は法律の制定はなかったが、それぞれの国では何らかの形での予算措置や仕組みつくりがなされているので、政策的な動きは当然存在していた[*7]。オーストラリアでは1970年代から議論が始まり、遺骨と共に祭具などの返還も行われた。窪田幸子の口頭発表では、この返還を行うかどうかは先住民のグループが選択でき、再埋葬やトライブの博物館を作るなどのケースもあるが、博物館等に保存を委託する場合もあるらしい。また、世界中に散逸しているアボリジナルの遺骨を返還するようにと政府が交渉を行っている。その他、カナダ、北欧諸国などでも順調に返還が行われている。イギリスの場合は、世界中いたるところの先住民の遺骨を所持していて、それを返還することが課題である。

日本では、長らくアイヌ民族を先住民族であるという認定をすらしておらず、2007年の「先住民族に関する国際連合宣言」の1年後にようやく国会で「アイヌ民族を先住民族とすることを求める決議」なるものがなされ、その後に既に要求が出ていた遺骨問題が公的に取り上げられるようになった。

先住民族の権利に関する国連宣言の第12条には、以下の条文がある。

【宗教的伝統と慣習の権利、遺骨の返還】1．先住民族は、自らの精神的および宗教的伝統、慣習、そして儀式を表現し、実践し、発展させ、教育する権利を有し、その宗教的および文化的な遺跡を維持し、保護し、そして私的にそこに立ち入る権利を有し、儀式用具を使用し管理する権利を有し、遺骨の返還に対する権利を有する。2．国家は、関係する先住民族と連携して公平で透明性のある効果的措置を通じて、儀式用具と遺骨のアクセス（到達もしくは入手し、利用する）および／または返還を可能にするよう努める。*8

文科省は、大学や博物館を対象とした国内のアイヌ遺骨の調査を行い、12大学に1636体（2013年報告）、1676体（2017年報告）、博物館等12施設で76体（2016年報告）を確認している。*9 大学では北海道大学が最も多く収蔵しており、1000余体に及ぶ。北大の場合は、調査の入る以前から納骨堂を作り納めるなどしていたが、返還には応じていなかった。

しかし2011年に基本的に返還という国としての方針が決まり、返還要求に応じた上で未返還の遺骨は白老に建設するウポポイ（民族共生象徴空間）内の慰霊施設に集約されることとなった。2020年夏にアイヌ博物館が完成、ウポポイも開設している。それ以後も返還の要求には応じることとはなっているが、返還手続きの難しさや、これまで遺骨をキープしてきた大学等研究施設からの謝罪がないことからも、未だに不満が残ることとなっている。

しかし、ラポロアイヌネイション（旧浦幌アイヌ協会）は中でも活発に返還運動を行っていたところ、2020年7月に東京大学を被告とした裁判で和解が成立して、8月22日に6体が返還・再埋葬された。これで道内外に要求していた102体の遺体すべてが戻り、再埋葬された、という新聞記事[*10]を見ると、若干心が安まる。

❖マオリのトイ・モコ返還

トイ・モコは別名モコモカイとも呼ばれ、マオリ人のタトゥーを施した首を燻し保存したものである。タトゥーを見れば所属するトライブや家系を知ることができ、トライブの有力者が亡くなると首を切り取って加工し保存することがなされていたし、また敵を殺害したときも同様の加工が施されていた。マオリにとって、モコ（タトゥー）は身分を示す貴重なものであったし、また頭部は身体の中で最も聖なる部位であった。

1769年にキャプテン・クックがニュージーランドを訪れてから、現地ではたちまちヨーロッパ人との接触が盛んになっていった。マオリの顔のタトゥー（写真3―3、57頁）はヨーロッパ人にとっては大変珍しいものだったようで、トイ・モコは早くから白人に売ることが行われてきた。クックに同行したジョゼフ・バンクスも、1級をマオリから購入したという記事がクックの日記に出てくる。クックは敵の首を白人に売るというのは侮辱という意味があったのではないかと解釈している。

イエーツやプロクター[*11]によれば、トイ・モコは民族学的な骨董品としてたちまち人気の品となったという。捕鯨小説で有名なメルヴィルの『白鯨』にも、マオリらしき船員が剥製の首を売る話が出てくる。1820年から31年にかけてがピークで数百級の首が海を渡った。1831年にニュー・サウス・ウェールズ（オーストラリア）の知事が、シドニー港に首を持ちこむことを禁じ――これを禁じられると輸送はかなり難しかった――、1840年にワイタンギ条約[*12]が結ばれると下火となっていった。知事が禁止したのは、トイ・モコを作るために戦争が起こったり、捕虜や奴隷にタトゥーをしてトイ・モコを作ったりということが行われるようになったからである。

マオリがトイ・モコを売る動機は、マスケット銃の入手だったとされている。マスケット銃1丁が首2級に相当したと記録にはある。白人との接触後に火器が入ってくるのはハワイもサモアも、トンガ、フィジーも、どの諸島でも同じである。どの地域でもすさまじい社会変動が生じており、諸島内での戦いが繰り広げられた。

トイ・モコの記述において欠かせないのは、ホレイショ・G・ロブリーという収集家のことである。彼は兵士としてイギリスの植民地で任務に服した。その中にはニュージーランドも含まれていたが、収集は退役後の話である。ロンドンに戻った後、彼はもともとタトゥーに興味があり、トイ・モコの収集を始めた。彼が収集した34級の首を壁一面に飾って彼自身を記念撮影のようにして撮った写真がある。これをお見せすることは簡単にできるが、ここに表示することは躊躇した。1908年、彼はコレクションを1000ポンドでニュージーランド政府に交渉したが、取引が行われる前に、コレクションはアメリカ自然史博物館に1250ポンドで売却された。

1980年にサザビーズのオークションにタヴィストック侯爵所有のトイ・モコが5000〜

写真 16-4　2018 年にアメリカから返還されたトイ・モコ。テ・パパ博物館で返還の儀式がマオリ式に行われた。在ニュージーランド・アメリカ合衆国大使館提供。PD

7000ポンドで出品されたが売れず、その8年後に同じものが別のオークションにかかったが、このときには、マオリとそしてロブリー双方の血を引くミュージシャンが介入して、最終的にはニュージーランドに返還された。

ニュージーランド政府は、2003年に先住民トライブの協力を得つつ、テ・パパ国立博物館内にカランガ・アオテアロア返還プログラムを立ち上げた。[*13] このプログラムは世界中に分散したニュージーランドの先住民の遺体ならびにトイ・モコなど身体由来のものを調べ、返還要求をしていくのがその役目である。プログラムの代表者によれば、ちょうどよいときにこれが始まった。少なくとも成果を見る限り、それがいえる。それより前であれば、このような返還要求にはよい返事がもらえなかったであろうと推測している。2008年の論文には海外（欧米）の博物館等に要求したリストが出ているが、さらに2013年には例のアメリカ自然史博物館にも要望を送り、2014年暮れに35級のトイ・モコ、2体のタトゥーを施した腿の皮膚、24体のモリオリ[14]の遺骨、そして46体のマオリの遺骨の返還を受けることができた[15]。ロブリーが売却したはずのトイ・モコの数とは微妙に違うが、おそらくすべて取り戻したことになる。テ・パパ側はこれが最大の返還、と評価している。

同プログラムは、国内の研究施設等の保持していた遺骨やトイ・モコについても調査を行い、返還の手続きを行ってきた。ただし海外からやってくるトイ・モコは所属がわからないものも多く、テ・パパに安置して現在調査中のものも少なくない。

この活動は現在も継続中（写真16－4）で、2020年12月にもベルリンの民族学博物館から2級のトイ・モコが返還され、マオリの人々による儀礼が行われたという記事[16]がある。

❖文化財の返還へ

さて、それではニュージーランドの場合、文化財の返還はどうなっているのだろう。深山直子が私の照会に応じて探し出してくれた新聞記事[17]によると、テ・パパにできたプログラムは遺骨等の返還だけを扱い、タオンガ（宝物）の返還要求はしない、というのが政府の方針だそうだ。文化遺産省の局長によれば、文化財の返還請求は相手方にも同じ請求を認めるので、うかつにはできないということのようだ。確かにヨーロッパ系の文化財もあるし、何よりオセアニアの島嶼国文化の貴重なコレクションもある。

しかし、全く文化財の返還が行われていないということではない。私的なコレクションを返還してくれる人や、トライブのもつ小規模な博物館が特別展示を行うためにヨーロッパの民族学博物館などが貸与してくれることもあり、偶然オークションで見つけたといって送ってくれる人もいる。

そのような中で、この章の最高のクライマックスは、テ・パパが所有していたハワイの王様の羽毛でできたケープを返還した話である。

キャプテン・クックは第3回航海の途上、1778年1月にカウアイ島に上陸し、その後夏の間にベーリング海峡からアラスカ沿岸を探検した後、暮れに再度ハワイ諸島を訪れ、今度はハワイ島（ビッグアイランド）の周囲をゆっくり航行した後、翌1月に西側ケアラケクア湾に投錨した。ハワイ島では収穫が終わった祭りの季節で、ハワイ人から熱烈な歓迎を受け、帆船の修理のために長逗留となるが、その間王族と親しく交流した。当時ハワイ島を支配していた王はカラニオプウであった。後に諸島を征服統一して王朝を築いたカメハメハは彼の甥である。カラニオプウ王は歓迎の印として、彼の来ていたケープ（アフ・ウラ）を脱いでクックに渡し、被っていたヘルメット（マヒオレ）をクックの頭に被せた。ケープは黄色と赤色の鳥の羽毛を抜いて作ったもので、ヘルメットも同じ羽毛を埋め込んで作ってある。無数の鳥を捕まえては羽毛を抜いて作るのであるから、大変時間も手間もかかる貴重なもので、両方ともに高位の王族のみが纏うことのできるものであった。このときクックは代わりにリネンのシャツとサーベルを献上している。

そしてそれほど時間がたたないうちに、クックはちょっとしたいざこざからハワイ人の手により殺されてしまう。従って、カラニオプウのケープとヘルメットをイギリスに持参したのは、クックの部下たちである。イギリスに持ち帰られてから、この宝物は博物館で展示されたこともあり、貴族の手から手へと所有者が代わることとなった。19世紀の初め頃から、ある貴族の一家の所有となり100

年を経て、しまいにニュージーランドのドミニオン博物館（テ・パパの前身）に１９１２年に寄贈された。

２０１６年３月にオークランドで開催されたパシフィック・アート学会の研究大会で、テ・パパの馴染みのキュレーターに会い、彼女の上司のショーン・マローンがいないのに気付いた私が訊ねると、カラニオプウのケープをハワイに返却することになり、そのためにハワイに出張したとのことであった。一応10年の貸し出しなのだが、もう戻らないでしょうね、と悲観的な顔をしていた。

マローンが中心となり書かれた報告[*18]がある（ケープやヘルメットのカラー写真も含まれている）。それによれば、テ・パパでもケープとヘルメットは大変大事に扱い、重要な収蔵品として防弾ガラスのケースに入れて展示も行っていた。また、ハワイのビショップ博物館で行う特別展示に貸し出すこともしていた。ウェリントンにあるハワイ文化センターとの交流もあり、儀礼が必要なときも頼んでしてもらっていたし、ハワイから学者がやってくることもあった。そうした中で、最初は丁重だったハワイ人たちが次第に本音で話し始めて、彼らの展示品に対する熱い思いが表出する場面があり、「なぜこれがここにあって、ハワイにないのだ」といった問いを半ば暴力的にぶつけてくる人もいたようである。次第にマローンだけでなく博物館の上層部の人々も、ただならぬハワイ人の執着に圧倒されるようになった。そうして、とりあえず10年間の貸与という形でハワイへの返還が行われることとなった。ハワイ人を代表するのは、ハワイ州のハワイ人問題事務局とビショップ博物館である。

ＱＲ16―１のハワイ人問題事務局制作の映像は、ケープとヘルメットをハワイ人たちが受け取りに行く淡々としたものであるが、挨拶や儀礼の中では互いにポリネシア人であり、先住民であるという交流の気持が伝わってくるものとなっている。ちょっと長いが是非ご覧いただきたい。

クックはカラニオプウから無理矢理ケープとヘルメットを奪ったのではなく、それぞれの持ち物を交換したのであるから、所有権の移転は明かである。それなのにハワイ人たちが返還にこだわるのは筋違いだと言って退けることもできたのに、どうしてそうしなかったのか、と私は不思議に思っていた。しかし、多分マオリの人々は、ハワイ人たちにとってのタオンガ（貴重な品）が、ハワイ人たちにとって何を意味するかをよく理解できていたからなのだろう。タオンガを譲り渡す、でもそれは、長い旅路を終えて帰っていくタオンガと、それを一時的に所有していた人々との関わりを断ち切るわけではないのだと思う。それを保持しうるのだと思いつつタオンガを返還した英断をリスペクトしたい。

このビデオは希望である。世界史的にいえば、決してメジャーとなることのない人々の暮らしを調査し、考察を巡らしてきた私の営みも、ここで一段落を迎える。彼らを通して世界を理解しようとしてきた私は、さまざまな無形のタオンガを得ることができた。ありがとう。

*1：英語の human remains に対応し、遺髪や皮膚なども含むので「遺骨等」とした。また同時に副葬品なども含んで扱われる場合もある。

*2：遺体の保存をする加工で、北米などで埋葬前に行われることが多い。

*3：遺体はドライアイス漬けにして飛行機で運ぶので、大変なお金がかかるが、サモアで葬儀を行うことに意義がある。そうして、規定の儀礼後に大家族の住む家の傍らに墓を作る。もちろん、それが望めないサモア人もいて、その場合には現地で埋葬される。

*4：トルコ政府の文化財返還交渉については、田中英資が詳細に書いている。田中英資（2014）「『Win-Win な解決方法』か『脅迫』か――トルコによる国外流出した文化遺産の返還要求に関する最近の動向」『福岡女学院大学紀要　人文学部編』24号。

*5：五十嵐彰（2019）『文化財返還問題を考える――負の遺産を清算するために』岩波ブックレット1011。一部返還・贈与に応じているが、まだ道半ばといってよい。それらは、植民地時代に日本人、日本の機関が持ち帰ったものがほとんど

であるが、日本人による民間のコレクションもある。一方で、対馬の寺院に保管されてきた朝鮮半島由来の仏像や経典が盗難に遭い、それが韓国に存在していることが確かめられたが、まだ一部しか戻ってきていない。

＊6：このあたり、40年前に出版されている以下の論文は興味深いものがある。Geoffrey Lewis (1981) The return of cultural property. *Journal of the Royal Society of Arts* 129 (5299). 両者の主張はあまり変わっていない。

＊7：加藤博文（２０１８）『先住民族の遺骨返還——先住民考古学としての海外の取り組み』先住民考古学シリーズ第1集、北海道大学アイヌ先住民研究センター先住民考古学研究室。

＊8：先住民族の権利に関する国際連合宣言（仮訳）。国際連合ホームページ。

＊9：文科省ホームページ、２０１３年、２０１６年、２０１７年。

＊10：朝日新聞デジタル（北海道）（２０２０／８／23）「東大から返還、アイヌ遺骨を再埋葬　浦幌の団体」。

＊11：Donna Yates (Oct. 2013) Toi Moko, *Trafficking Culture Encyclopedia* (https://traffickingculture.org). Alice Procter (2020) *The Whole Picture: The Colonial Story of the Art in Our Museums & Why We Need to Talk about it.* Cassell.

＊12：北島の北方、ワイタンギの地にマオリの首長を集め、彼らの権利を保障しつつ、実質的にイギリスに支配をゆだねる条約を締結させ、ここからイギリスのニュージーランド支配が始まった。

＊13：Herekiekie Herewini (2008) The Museum of New Zealand Te Papa Tongarewa (Te Papa) and the repatriation of Kōiwi tangata (Māori and Moriori skeltal remains) and Toi Moko (mummified Maori tattooed heads). *International Journal of Cultural Property* 15.

＊14：ニュージーランド本土の東にあるチャタム諸島にいた先住民。チャタム諸島は現在ニュージーランドの特別領となっている。

＊15：https://www.tepapa.govt.nz/about/press-and-media/press-releases/2014-news-and-media-releases/largest-repatriation-ancestral

＊16：https://www.dw.com/en/german-museum-returns-mummified-maori-heads-to-new-zealand/a-5524697５

＊17：New Zealand Herald (2007 Jan. 24) No policy for reclaiming taonga.

＊18：Sean Mallon et.al. (2017) The ʻahu ʻula and mahiole of Kalaniʻōpuʻu: a journey of chiefly adornments. *Tuhinga* 28. (online)

QR16-1
『カラニオプウ王のケープとヘルメットの返還』
ハワイ人問題事務局制作（ビショップ博物館協力）

おわりに

本書はもともと、弘文堂スクエアというウェブマガジンの記事として書いた。弘文堂の三徳洋一氏から、月刊で書いてみないかというお誘いを受けたのが、2019年の1月頃だったろうか。3月のオークランド滞在中に書いたのが序章に相当する。ほぼ月いちで書いていたが、休息月もあり、2021年4月まで、18回を重ねた。21年3月一杯で37年間勤めた法政大学を定年退職したので、そのタイミングでこちらも了とさせていただいた。そのうち、第1回を序章とし、人類学のプロしか興味を持たないような回を割愛して、序章＋16章の本文となった。論文ではなくエッセイ集であるが、これまでの研究が生きるような作品にしたので、ただのエッセイよりは堅いかもしれない。ウェブマガジンという体裁であったために、写真はカラー、リンクで動画も組み合わせるというカラフルかつ楽しい出来上がりになり、私自身としてはこれまでにない出版の形式となった満足感があった。

しかし一方、書籍の形を踏まないと普及しないというのが、どうやら日本の出版事情のようだ。それで、是非書籍の形もとりたいということで、明石書店の佐藤和久氏に頼み込んで、書籍化をお願いした。動画はＱＲコードにしてウェブ版の面影を残した。

オセアニアに興味のある学究にはもちろん役立てていただけると信じるが、オセアニアにこれまで関心のなかった方々も楽しめると思いたい。伝統文化が守られている側面もありながら、グローバリゼーションに対応してさまざまに適応、変容していく人々の暮らし、トランスナショナルなネットワークの展開には目を見張るばかりだ。例えば、コロナ禍にあって、サモアでの、またニュージーランドでのオンライン葬儀への案内を2度ほどもらった。ディアスポラを多く抱えるサモア人にとってオンライン葬儀は全く理にかなっている。葬儀会館や教会の演壇の上方にテレビカメラが常設されているようだ。儀礼交換のビデオ実況はなかったが、コロナ禍によって儀礼交換にどんな変容がもたらされたのだろうか。

本書の出版にあたり、大勢の方々、とりわけ若い学究にはたいへんお世話になった。石森大知氏、稲村哲也氏、加藤博文氏、ユキ・キハラ氏、窪田幸子氏、倉田誠氏、桑原牧子氏、小坂崇敬氏、後藤明氏、小林誠氏、白川千尋氏、丹羽典生氏、スティーヴン・パーシヴァル氏、深田淳太郎氏、深山直子氏、ニコ・ベスニア氏、三村悟氏、宮里孝生氏、マサミ・レヴィ氏、アルバート・レフィチ氏、山中速人氏、渡辺文氏（アイウエオ順）には篤く御礼申し上げる。その他お名前は出さないが、インタヴューに応じてくれた大勢のオセアニアの人々には心から感謝を捧げたい。

研究を遂行するにあたり、いくつもの学術振興会科学研究費補助金を受領しているが、本書の論考に深く関わっているのは、以下の通りである。「太平洋島嶼国における芸術とアイデンティティ―太平洋芸術祭を焦点として―」（基盤研究B 11691035、1999〜2000年度、代表山本真鳥）、「オセアニア島嶼国におけるグローカリゼーションと国民文化に関する人類学的研究」（基盤研究A 16251008、2004〜2007年度、代表須藤健一）、「移民と本国社会―グローバル・サモア人世界のアイデンティティと互酬性」（基盤研究C 20520716、2008〜2010年度、代表山本真鳥）、「グローバル化する互酬性―サモア儀礼交換の新たな展開」（基盤研究C 23520999、2011〜2013年度、代表山本真鳥）、「太平洋現代芸術の人類学的研究―ニュージーランド太平洋系住民のアート活動を中心に」（基盤研究C 15K03058、2015～2018年度、代表山本真鳥）。その他、東西センターや放送文化基金、トヨタ財団には大変お世話になった。また法政大学からは助成金も含め多くの研究上の便宜をはかっていただいた。以上、記して謝意を示したい。

また、本書のきっかけとなったウェブマガジンの出版をお世話いただいた弘文堂の三徳洋一氏、私のわがままに付き合って最終的な書籍の形を模索してくださった明石書店の佐藤和久氏のおかげで本書は完成することができた。感謝します。

山本 真鳥

2023年6月

QR コードの url 一覧

QR1-1 https://www.youtube.com/watch?v=6wknk7Ft7JM
QR2-1 https://www.youtube.com/watch?v=GPWuHEXdG3c
QR2-2 https://www.youtube.com/watch?v=49awM3Lpzcs
QR4-1 https://www.youtube.com/watch?v=YIQ8rsxokd8&t=78s
QR5-1 https://www.youtube.com/watch?v=dzc4kUB9ya8
QR5-2 https://www.youtube.com/watch?v=nCd-K0Du5dI
QR6-1 https://www.youtube.com/watch?v=BmOccL4pT_Q
QR6-2 https://okeanos-foundation.org/en/about-us/
QR7-1 https://www.creativesamoa.com/
QR7-2 https://www.youtube.com/watch?v=5Zh-ExTXoLI
QR8-1 https://www.youtube.com/watch?v=ArQxMkdQyT4
QR8-2 https://www.youtube.com/watch?v=LUg9aXk2E9s
QR8-3 https://www.youtube.com/watch?v=AQio-Z5GSJk
QR8-4 https://www.youtube.com/watch?v=ubZrAmRxy_M
QR9-1 https://www.youtube.com/watch?v=Gt8F1FT7HRg
QR9-2 https://www.youtube.com/watch?v=HDr_JfjU31k
QR10-1 https://www.youtube.com/watch?v=FkNG15P3ia8
QR10-2 https://www.youtube.com/watch?v=ohjrZjIItAw
QR11-1 https://www.youtube.com/watch?v=pRD8ZwdPYsY
QR12-1 https://www.youtube.com/watch?v=R1g5je-LPhM
QR12-2 https://www.youtube.com/watch?v=cvyqPhuHbD8
QR12-3 https://www.youtube.com/watch?v=G-9PnyVFhiY
QR12-4 https://www.youtube.com/watch?v=2uwWn0mctTM
QR13-1 https://www.sankokan.jp/movie/ippin_10
QR14-1 https://vimeo.com/376270214
QR14-2 https://www.youtube.com/watch?v=vL0QUZz9N3A
QR14-3 https://www.youtube.com/watch?v=bad1VeseqDg
QR14-4 https://www.youtube.com/watch?v=qolZPc4yWYU
QR14-5 https://www.youtube.com/watch?v=8RpjYEMSMqM
QR15-1 https://www.youtube.com/watch?v=O5b90G4Jy90
QR15-2 https://www.youtube.com/watch?v=sDLMFOALm8k
QR15-3 https://www.youtube.com/watch?v=Ya_0TMhAdHQ
QR15-4 https://www.youtube.com/watch?v=l0Mq6rCfYtU
QR16-1 https://www.oha.org/kalaniopuu

写真及び図のコピーライト情報

写真や図のキャプションにPDとあるものはpublic domainに入っていて、コピーライトは存在しない。ただし著作者人格権があると想定されるものについては、できるだけ作者名、撮影者名、あるいは所蔵者名などの情報を入れてある。その他、creative commonsの表記に従ってキャプションに記号で入れてあるものにつき、リンク，著者名、変更についてはここにリストとして書き出しておく。ただしいちいちことわることはしていないが、カラー写真はすべて白黒印刷となっている。PDと記入しておらず、以下のリストにも上がっていない写真は著者がコピーライトを保持している。

写真 3-2 CloudSerfer 撮影。Wikimedia、CC BY 3.0
https://commons.wikimedia.org/wiki/File:Traditional_Samoan_Tattoo_-_back.jpg
写真 3-5 shafraz.nasser 撮影。Flickr、CC BY 2.0
https://www.flickr.com/photos/shafsky/6275665132/in/photolist-ayyqAY-kouzZY-aBVTV9-awfYuK-ayvMp4-az87i5-az87dA-az8o74-az87yf-az878S-az5t3D-5hVevQ-azbdzb-az8767-aywAju-ay858Z-26fuFPM, トリミング実施。
写真 4-1© 山本泰撮影。
写真 6-1© 山本泰撮影。
写真 6-3 Jim Heaphy 撮影。Wikimedia、CC BY-SA 3.0
https://commons.wikimedia.org/wiki/File:Micronesian_navigational_chart.jpg
写真 6-4 Phil Uhl 撮影。Wikimedia、CC BY-SA 3.0
https://commons.wikimedia.org/wiki/File:Hokule%27a.jpg
図 9-1 Mliu92 作図。Wikimedia、CC BY-SA 4.0
https://commons.wikimedia.org/wiki/File:Ahupuaa_of_Oahu_(4-color).svg
白黒印刷に変更。
写真 10-4 Artemio Urbina 撮影。PD
写真 11-2 Fabian Gutierrez Cortes 撮影。Wikimedia、CC BY-SA 4.0
https://commons.wikimedia.org/wiki/File:Funafuti_2017.jpg
写真 11-3 Stefan Lins 撮影。Frickr、CC BY 2.0
https://www.flickr.com/photos/68467272@N00/304273850
写真 12-1 JOOZLy 撮影。Wikimedia, CC BY-SA 4.0
https://commons.wikimedia.org/wiki/File:Egrant-190-91.jpg
写真 13-2 Diethard 撮影。Wikimedia, CC BY-SA 4.0
https://commons.wikimedia.org/wiki/File:GE_2011.24_Asmatshield.JPG
写真 13-8 olekinderhook 撮影。Panoramio、CC BY 3.0
https://web.archive.org/web/20161025164424/http://www.panoramio.com/photo/73229983

〔マ行〕

〔ラ行〕

〔タ行〕

〔ナ行〕

〔ハ行〕

索　引

【著者紹介】

山本 真鳥（やまもと　まとり）

法政大学名誉教授。文化人類学、オセアニア研究。1984 年法政大学経済学部助教授、1990 年同教授。その後、カリフォルニア大学バークレー校人類学部、ハワイ大学人類学部、東西センターで客員研究員。日本文化人類学会、日本オセアニア学会で会長を歴任。著書に『儀礼としての経済――サモア社会の贈与・権力・セクシュアリティ』弘文堂（1996 年、山本泰と共著）、『人間と土地――現代土地問題への歴史的接近』有志舎（2012 年、小谷汪之・藤田進と共著）、『グローバル化する互酬性――拡大するサモア世界と首長制』弘文堂（2018 年）、編著に『オセアニア史』山川出版社（2000 年）、Matori Yamamoto ed. (2006) *Art and Identity in the Pacific: Festival of Pacific Arts*. Osaka: The Japan Center for Area Studies, National Museum of Ethnology.『ハワイを知るための 60 章』明石書店（2013 年、山田亨と共編著）など。

オセアニアの今
――伝統文化とグローバル化

2023 年 7 月 31 日　初版 第 1 刷発行

著　者　　山　本　真　鳥
発行者　　大　江　道　雅
発行所　　株式会社 明石書店
〒 101–0021 東京都千代田区外神田 6-9-5
電話 03（5818）1171
FAX 03（5818）1174
振替　00100-7-24505
http://www.akashi.co.jp/
組版・装丁　明石書店デザイン室
印刷・製本　モリモト印刷株式会社

（定価はカバーに表示してあります）　ISBN978-4-7503-5604-4

ダーク・エミュー　アボリジナル・オーストラリアの「真実」
先住民の土地管理と農耕の誕生
ブルース・パスコウ著　友永雄吾訳　◎2800円

強制移住と怒りの民族誌
バナバ人の歴史記憶・政治闘争・エスニシティ
風間計博著　◎5400円

スタディツアーの理論と実践
オーストラリア先住民との対話から学ぶフォーラム型ツアー
友永雄吾著　◎2200円

グアム・チャモロダンスの挑戦　失われた伝統・文化を再創造する
中山京子著　◎2500円

失われる文化・失われるアイデンティティ
講座　世界の先住民族―ファースト・ピープルズの現在10
綾部恒雄監修　綾部恒雄編　◎4800円

海のキリスト教　太平洋島嶼諸国における宗教と政治・社会変容
大谷裕文、塩田光喜編著　◎4500円

太平洋文明航海記　キャプテン・クックから米中の制海権をめぐる争いまで
塩田光喜著　◎2200円

ニューカレドニア　カナク・アイデンティティの語り
ネーションの語り・共同体の語り・文化の語り
江戸淳子著　◎9500円

ハワイを知るための60章
エリア・スタディーズ114　山本真鳥、山田亨編著　◎2000円

ミクロネシアを知るための60章【第2版】
エリア・スタディーズ51　印東道子編著　◎2000円

グアム・サイパン・マリアナ諸島を知るための54章
エリア・スタディーズ105　中山京子編著　◎2000円

南太平洋を知るための58章　メラネシア　ポリネシア
エリア・スタディーズ82　吉岡政德、石森大知編著　◎2000円

太平洋諸島の歴史を知るための60章　日本とのかかわり
エリア・スタディーズ176　石森大知、丹羽典生編著　◎2000円

タスマニアを旅する60章
エリア・スタディーズ143　宮本忠著　◎2000円

マーシャル諸島の政治史　米軍基地・ビキニ環礁核実験・自由連合協定
世界歴史叢書　黒崎岳大著　◎5800円

オーストラリア先住民族の主体形成と大学開放
前田耕司著　◎3800円

〈価格は本体価格です〉